ODA EN LA CENIZA

LAS MONEDAS CONTRA LA LOSA

D0424154

clásicos **C** *castalia*

COLECCIÓN FUNDADA POR
DON ANTONIO RODRÍGUEZ-MOÑINO

DIRECTOR
DON ALONSO ZAMORA VICENTE

CARLOS BOUSOÑO

ODA EN LA CENIZA
LAS MONEDAS CONTRA LA LOSA

Edición,
introducción y notas,
de
IRMA EMILIOZZI

clásicos castalia

M a d r i d

Copyright © Editorial Castalia, S. A., 1987
Zurbano, 39 - 28010 Madrid - Tel. 319 89 40

Cubierta de Víctor Sanz

Impreso en España - Printed in Spain
Unigraf, S. A. Fuenlabrada (Madrid)

I.S.B.N.: 84-7039-589-0
Depósito legal: M. 1.056-1991

SUMARIO

INTRODUCCIÓN
BIOGRÁFICA Y CRÍTICA

CARLOS BOUSOÑO

C ARLOS Bousoño nació en Boal (Asturias), el 9 de mayo de 1923. Algunas circunstancias de su infancia, de su adolescencia y de su juventud —aunque el propio poeta ha resaltado solamente las referencias a las dos últimas etapas— conforman "(...) la personalísima biografía que hube de protagonizar (...)" [1], y nos introducen en nuestro primer intento de destacar las importantes relaciones entre vida y poesía, o la incidencia de lo biográfico en la configuración del sistema cosmovisionario poético.

Cuatro hechos son de fundamental importancia en los primeros veinte años del escritor: la endeble salud y temprana muerte de su madre; la partida del padre a buscar mejor suerte en tierras americanas; la virtual orfandad del poeta y de su hermano y, en consecuencia, los tristes años transcurridos —desde los diez a los diecinueve años de nuestro autor— junto a una tía abuela; y la llegada a Madrid, en 1943. Estos acontecimientos sellan de manera decisiva la vida y la poesía de Carlos Bousoño. Nos referiremos brevemente a ellos.

[1] Carlos Bousoño, *Poesía poscontemporánea*. "Cuatro estudios y una introducción", Ediciones Júcar, Los Poetas —Serie Mayor, 4—, primera edición, 1985. "Ensayo de autocrítica", pág. 157.

Margarita Prieto llegó a Boal como maestra de primera enseñanza y allí conoció a Luis Bousoño Carrocera; se casaron y pronto nació el primer hijo, Luis, en junio de 1922, y sólo once meses después, Carlos. Los partos tan próximos debilitaron la salud de la madre y contrajo tuberculosis. La vida familiar se trastornó y se decidió, al año del nacimiento de Carlos, el traslado a Oviedo, donde el padre abrió una tienda de tejidos. En esta primera infancia, los niños pasaron muchas temporadas, a veces de hasta más de un año, en Gordejuela, junto a una tía, sor María Prieto, en cuyo colegio, el de San José de las Hermanas de la Caridad, aprendió el futuro poeta a leer y a escribir: "(...) En Gordejuela yo fui feliz, y mi felicidad se la debía por entero a sor María, que ocupó el sitio de mi madre, ausente de mi vida a causa de su enfermedad"[2].

Margarita Prieto pasaba largas temporadas de convalecencia casi siempre en un sanatorio madrileño; esto ocasionaba importantes problemas a la ya precaria economía familiar, inserta dentro del marco de la gran crisis mundial que se originó en 1929 en Estados Unidos. Invitado por su cuñado, Carlos Prieto, que a instancias de un tío abuelo, don Adolfo Prieto, se había instalado promisoriamente en México, decidió Luis Bousoño ir hacia el país americano en busca de mayor desahogo económico. La partida ocurrió en 1933, un año trágico en la vida de Carlos Bousoño, pues a esta ausencia seguiría en pocos meses la muerte de su madre. A la azarosa infancia se agregó virtualmente la orfandad, ya que los hijos volverían a ver a su padre recién en 1939, en su primera vuelta a España, cuando Carlos ya ha cumplido dieciséis años.

Estas primeras experiencias dejaron, pese a toda la angustia y junto a ella, una luminosa estela asturiana en

---

[2] *Carlos Bousoño*, número monográfico de *Anthropos*, Núm. 73, Barcelona, junio de 1987. "Biografía dialogada" a cargo de Alejandro Duque Amusco, pág. 21.

la poesía de Bousoño, traducida en esa gran cuota de afirmación vital —"primaveral"— que ella conlleva:

Al poner ahora la mano sobre el papel, me doy cuenta
de que yo no soy sólo ese hombre que medita y tacha
    acaso una palabra, y la vuelve trabajosamente
    a escribir,
sino también el niño que ahora mismo, en la norteña tarde
    de agosto,
corre pálidamente por la pradera, hacia el río,
siempre hacia el río dulce el niño corre,
pálidamente, infatigable corre
veloz, por el mismo sendero, sin moverse, incansable,
    hacia el mismo lugar que le espera.
.... [3]

Así también lo imaginó, en memorable prosa lírica, Vicente Aleixandre:

Nació en Boal, Asturias, pero se crió a ráfagas por las calles de Oviedo, jugando a instantes de libertad urbana, muy poco urbana, por otra parte. Aquella infancia, que vivió asombrosamente la irrealidad de lo real, consistió sobre todo en burlar a la vieja y enérgica tía abuela con quien vivía (la vieja que todos hemos encontrado en los cuentos de niños), cancerbero increíble de las continuamente abatidas prisiones. Como un juguetón y abrupto afluente, Carlitos irrumpía cada mañana en el río de la calle con alboroto y espuma. Se arrojó —como quien vuela— con los otros chiquillos sobre los trenes desde las barandas del puente sobre la vía; burló, hecho viento, sin billete, a los argos vigilantes de la entrada de los cines; tomó partido, atravesándose, en las batallas de los chicuelos en el Campo de San Francisco... Era el escapado cada día, frenético de un sueño de realidad, sonámbulo de la casi divina verdad desde la sombra incorpórea de la prisión doméstica. Y crecía impaciente, con avidez, bebiendo la furia del querer inmediato a cada rompimiento, esperando con sonambúlica fe la vida

---

[3] Carlos Bousoño, *Las monedas contra la losa,* Alberto Corazón, Colección Visor de Poesía-34, Madrid, 1973, pág. 51.

entera de cada minuto de plenitud, como de un trago que la abarcase [4].

Desde 1933 a 1942 ambos hermanos quedaron al cuidado de una tía abuela, doña Manuela Fernández de la Llana, viuda de don Bernardo Acebedo y Huelves, abogado y conocido poeta en bable y en castellano, muy amigo de Ramón de Campoamor: "(...) El carácter de mi tía (y no, por supuesto, sus prendas morales) y el género de vida a que, a causa de su edad, me sometió, me hicieron vivir entre esas fechas, o sea entre mis diez y mis diecinueve años, en una angustia incesante, en una extraña sensación de agonía y no ser, que había de sellar la forma interior de mi persona, digámoslo así, definitivamente. (...)" (Ver Nota 1, pág. 158). Esos años transcurrieron casi siempre en Oviedo, con algunos viajes a Gordejuela —siempre la alegría del encuentro con sor María— y con alguna temporada nuevamente en Boal (en 1937 Carlos estudió allí el tercer curso de bachillerato como alumno libre y luego se examinó en el Instituto de Luarca).

Ya en estos años, el poeta había comenzado a escribir sus primeros versos, evidenciando una precocidad que la familia instalada en México quiso premiar con su publicación: el libro se llamó *Quebrando albores* [5] ("Apriessa cantan los gallos e quieren crebar albores" canta el autor del *Poema de Mio Cid* [6]). En la breve nota que sirve de prólogo y que está firmada por "Florisel", se puede leer:

> Estos versos —y otros tantos o más— (...) fueron escritos entre los catorce y quince años de edad por Carlitos Bousoño Prieto (...).

[4] Vicente Aleixandre, *Obras completas,* prólogo de Carlos Bousoño, Edit. Aguilar, Madrid, 1968. "Carlos Bousoño sueña el tiempo", en *Los Encuentros,* págs. 1286 y 1287.
[5] Carlos Bousoño Prieto, *Quebrando albores,* México, 1940.
[6] *Poema de Mio Cid,* ed. introd. y notas de Ramón Menéndez Pidal, Espasa-Calpe, Clásicos Castellanos, Madrid, undécima ed., 1966, pág. 118, verso 235.

> Muchos versos en pocos años, ahora, para que después podamos decir —y lo diremos seguramente— muchos años en pocos versos (...).
>
> (Bousoño Prieto, Carlos: *Quebrando albores,* op. cit., pág. 5).

Carlos Bousoño renegó en forma casi inmediata del libro adolescente, editado sin su aprobación. Esto ha sido testimoniado incluso por Vicente Aleixandre, que conocía la publicación mexicana —a ella se refiere en la afectuosa prosa de *Los Encuentros* titulada "Carlos Bousoño sueña el tiempo" que ya hemos citado—, y que, sin embargo, al prologar *Primavera de la muerte* [7], ya ubicó a *Subida al amor* como el "primer libro" del joven escritor. (Así también lo entendemos nosotros; pese a ello, y por un "seguro azar" como diría Pedro Salinas, hemos tenido la suerte de encontrar la rara edición y hemos querido dejar constancia aquí de la existencia de *Quebrando albores*).

1943 significó la llegada a Madrid; ya Carlos Bousoño había realizado los dos primeros años de Filosofía y Letras en la Universidad de Oviedo, carrera que continuaría en Madrid:

> (...) 1943 es una fecha que puede admitirse como hito, con alguna imprecisión, en la historia de nuestra evolución intelectual: por debajo de la dura caparazón oficial, algo muy vivo empieza a remejerse en estos medios donde se junta la juventud, germen a veces enmascarado, a veces desconocido, de unas manifestaciones donde no se cultiva la nostalgia —¿de qué van a ser nostálgicos los veinteañeros?—, sino la esperanza. En esos pasillos universitarios, tanto como en esas aulas, nace la poesía española contemporánea, la primera generación de la postguerra. Aparece, sin embargo, no como un azar, sino como una necesidad (...) [8].

[7] Carlos Bousoño, *Primavera de la muerte,* Prólogo de Vicente Aleixandre, Edit. Hispánica, Adonais, XXIX, Madrid, 1946, pág. 11.

[8] Gonzalo Torrente Ballester, Contestación a *Sentido de la evolución de la poesía contemporánea en Juan Ramón Jiménez,* Discurso leído el día

Madrid fue la universidad, la afirmación de la vocación poética, la esperanza, como ha dicho Torrente Ballester. También la ciudad de los encuentros definitivos:

> (...) En Madrid conocí y trabé una honda amistad con las dos personas que más importantes fueron en mi formación intelectual: Dámaso Alonso y Vicente Aleixandre. El primero me inició en la reflexión sobre la poesía. El segundo representó en mi destino una incesante y poderosa incitación para la creación poética. (...) Su amistad fue sin quiebra, desde mis diecinueve años, recién cumplidos, hasta los sesenta y uno de mi vida, en que la suya terminó (13 de diciembre de 1984)[9].

Infancia, adolescencia y juventud, Asturias y Madrid, han perfilado ya la personalidad de Carlos Bousoño, y desde ella, los lineamientos fundamentales de su cosmovisión poética. Si resaltamos, como ya hemos hecho, que no todo fue "oscuridad" y "privación" en los años de la infancia, podemos resumir lo dicho hasta aquí, y por consiguiente, atisbar la sólida relación entre biografía y poesía, con estas palabras del mismo escritor:

> (...) La muerte de mi tía y mi traslado a Madrid, me permitieron súbitamente recuperar el mundo, asumir con avidez la gracia de la luz y de la realidad, recibir en mi seno más íntimo la sensación infinitamente bienhechora de existir en el mundo. Y como yo venía de la oscuridad y de la privación, el contraste me llevó a experimentar ese existir como un existir total, pleno, glorioso. Me hice de este modo existencialmente apto tal vez para entender, no desde la razón, sino desde la vida, lo que es el anonadamiento y la existencia, el ser y la nada, y, sobre todo, su mutua relación,

---

19 de octubre de 1980 en su recepción pública por el Excmo. Sr. don Carlos Bousoño Prieto y contestación del Excmo. Sr. don Gonzalo Torrente Ballester, Real Academia Española, Madrid, 1980, pág. 75.

[9] Carlos Bousoño, "Autobiografía intelectual", en *Anthropos*, Núm. 73, op. cit., pág. 15.

su trágico parentesco, su esencial afinidad y misteriosa referencia. (...)

(Bousoño, Carlos: "Ensayo de Autocrítica", op. cit., pág. 158).

En 1945 obtuvo Carlos Bousoño su licenciatura en Filología Románica en la Universidad Central —hoy Complutense— de Madrid, y comenzó a publicar sus primeros libros de versos: *Subida al amor,* de 1945, y *Primavera de la muerte,* de 1946. En este mismo año viajó a México, donde lo esperaba su familia, y en 1947 a Estados Unidos donde ejerció la cátedra (fue profesor en Wesllley College) sustituyendo nada menos que a Jorge Guillén:

Quizá convenga referirse, de pasada, a la estadía de Bousoño en México y en los Estados Unidos, su ejercicio de la docencia en esos países: experiencia temprana de ese oficio en que tan alto ha llegado, el de enseñar. Yo, sin embargo, creo que no habrá sido eso lo más importante de aquella ausencia, sino el hecho de la ausencia misma: de apartarse, por una parte, de unos momentos concretos del desarrollo del drama nacional, y, por otra, abrirse al mundo, a su diversidad, a su complejidad. Hubo épocas y países en que se consideraba indispensable, para la educación de los hombres, un viaje al extranjero. Esto, al intelectual, si ha de vivir de veras en el mundo que le ha tocado, resulta a todas luces indispensable. De lo contrario, el provincianismo le amenaza. O el disparate (...).

(Torrente Ballester, Gonzalo: Contestación a: *Sentido de la evolución de la poesía contemporánea en Juan Ramón Jiménez,* Discurso de Recepción en la Real Academia Española de Carlos Bousoño, op. cit., pág. 77).

A su regreso, en 1949, y luego de cumplir con el servicio militar —demorado por el motivo del extenso viaje—, Carlos Bousoño se doctoró con su conocida tesis *La poesía de Vicente Aleixandre,* y se incorporó en 1950 como profesor en la Facultad. De 1950 a 1952 data el inicio de su merecida fama como crítico y fundamentalmente como teórico de la literatura; tres títulos la cimentan (Ver Noticia Bibliográfica): la publicación de su tesis *La poesía de Vicente Aleixandre* (1950), *Seis calas en la expresión literaria española* (1951), en colaboración con Dámaso Alonso —lo que significó un gran espaldarazo para su carrera científica—, y *Teoría de la expresión poética* (1952), que obtuvo el Premio Fastenrath de la Real Academia Española.

Desde estos años en adelante, la trayectoria de Carlos Bousoño como incansable investigador del fenómeno poético es por todos conocida (Ver Noticia Bibliográfica para Títulos y Fechas de Publicaciones), y como bien resume Gonzalo Torrente Ballester en el Discurso ya citado, una "hazaña" no sólo "cuantitativa" sino también "cualitativa"; para resumirla, sólo basta no olvidar su formulación de dos leyes: la "ley de la desviación del uso lingüístico" que Bousoño denominó "ley de la sustitución de la lengua", y la "ley del asentimiento", presentadas ya en *Teoría de la expresión poética* de 1952 (y completadas en las sucesivas ediciones del mismo título y en sus demás libros), cuando Occidente ignoraba el conjunto de doctrinas de los formalistas rusos.

De su trayectoria poética y de su decisivo aporte al panorama de la lírica española de posguerra, nos ocuparemos en las páginas siguientes.

Toda esta labor ha recibido importantes premios y reconocimientos: Premio de la Crítica 1968 y Premio de la Crítica 1974 por *Oda en la ceniza* y *Las monedas contra la losa,* respectivamente; Premio Nacional de Literatura 1978 —modalidad Ensayo— por *El irracionalismo poético (El símbolo)*. En 1979 ingresó como miembro de número en la Real Academia Española de la Lengua. Su Discurso de ingreso, leído el 19 de octubre de 1980, versó sobre "Sentido de la evolución de la poesía contemporánea en Juan Ramón Jiménez".

Completemos su biografía recordando su casamiento, en 1975, con Ruth Crespo, de nacionalidad puertorriqueña, quien había sido su alumna en los cursos 1972-

1973 y 1973-1974, y el nacimiento de sus hijos: Carlos Alberto, en 1977, y Alejandro, en 1985.

EL AUTOR Y SU GENERACIÓN

Aunque brevemente, comenzaremos por situar la obra de Carlos Bousoño en el variado panorama de la lírica española de posguerra. Y esto es imprescindible porque la personalísima evolución de su poesía hace que responda y se diferencie a la vez de los postulados de su generación cronológica, la del 40; anticipe y se relacione con el eticismo del 50; y, por si esto fuera poco, la renovación expresiva que culmina en *Oda en la ceniza* y *Las monedas contra la losa* lo identifique con el irracionalismo de algunos de los "novísimos".

Y si esto ocurre así es porque su personalidad poética —como el mismo Bousoño ha dicho refiriéndose a la de Juan Ramón Jiménez y a la de Vicente Aleixandre, pero obviando totalmente la referencia a la suya— ha cumplido una evolución paralela a la historia de la lírica de su tiempo, por tratarse de una personalidad increíblemente atenta a todo lo que ocurría a su alrededor.

No se equivoca Carlos Bousoño al decir que su poesía ha seguido una de las tres opciones fundamentales que la intuición central de "verdadera realidad", la del "yo en el mundo", la del hombre inmerso en la realidad, generaba en los escritores del 40: la de una "(...) poesía existencial y hasta existencialista en sentido propio, en la que podrá imponerse o no, como predominante, una reflexión metafísica. (...)" ("Ensayo de autocrítica", en *Poesía poscontemporánea,* op. cit., pág. 153). Junto a ésta, las otras opciones fueron la poesía social y política y la poesía de tono realista.

Pero tampoco se equivoca Amparo Amorós cuando, al referirse a los procedimientos expresivos de Carlos Bousoño y señalar el "cambio importante" que en este sentido aportan *Oda en la ceniza* y *Las monedas contra la losa,* dice:

(...) Este cambio importante y sensible se debe, en mi opinión, a que Carlos Bousoño, que se adelantó en tantas cosas a su época, había sido, hasta entonces, como un personaje pirandelliano, un poeta en busca de generación, y la encontró, sin duda, en la de los novísimos. (...) ¿Influyeron ciertos novísimos (especialmente Carnero, que me parece de todos ellos el poeta que le es más afín) en Bousoño, o Bousoño en ellos? Ambas cosas son posibles y probablemente se produjeron ciertos intercambios por ambas partes. Pero yo diría que lo que explica este curioso desplazamiento, no calificativo sino generacional, es que, por fin, Bousoño encontró en el clima intelectual que se produjo por aquellos años un caldo de cultivo adecuado a su verdadera cronología mental y a su talante personal (...) [10].

Quizás convenga recordar que Bousoño ha fijado su posición al respecto:

(...) No puede hablarse de influjo ni de una parte ni de otra, pero sí de afinidad no casual. (El año en que publiqué ese libro —se refiere a *Oda en la ceniza*— es 1967, que es cuando se iniciaba la generación de que hablo, y esta poesía yo la venía escribiendo desde 1962). Lo que ocurre es que la evolución de un autor coincide siempre con la evolución de su tiempo histórico, no por influjo, sino porque la sociedad, la trama social en que el escritor se halla situado, es lo que explica la obra literaria (...) [11].

Jaime Siles acepta la definición de "poeta transgeneracional" dada por Amparo Amorós, aunque amplía el marco de las relaciones de la poesía de Bousoño con la de su tiempo:

(...) La teoría del lenguaje, que Bousoño sigue y explicita, le ha hecho conectar con la generación de los novísimos, de la

---

[10] Amparo Amorós, "El esplendor de la ceniza", en *Carlos Bousoño, número monográfico de Anthropos, 73,* op. cit., Bibliografía temática, págs. III-IV.
[11] Carlos Bousoño, *Reflexiones sobre mi poesía,* Universidad Autónoma, Escuela Universitaria de Formación de Profesorado de EGB "Santa María", Madrid, 1984, pág. 24.

misma manera que dos poemas de *Noche del sentido* ("La visita al cementerio" y "La puerta") adelantan un tipo de discurso propio de la poesía del 50. Y de la misma forma que su poesía religiosa desarrollaba una de las líneas (o de las opciones) características de su generación (...) [12].

Es posible comprender que no se equivocan ni Amparo Amorós, ni Carlos Bousoño, ni Jaime Siles, cuando advertimos cómo la cuestión ha sido enfocada desde diferentes ángulos por los tres escritores: sus opiniones se complementan entre sí (complementariedad que, aunque sucintamente, de alguna manera ya esbozó Siles) al determinar la *identidad* y la *evolución* de la poesía de Carlos Bousoño.

Si en algo ha permanecido invariable la poesía de Carlos Bousoño en toda su trayectoria ha sido en su firme compromiso de raíz existencial, derivado en una clara postura ética. Desde el punto de vista de su significación, su lírica está ubicada así, como el mismo Bousoño precisó, entre los referentes de la generación del 40, pero también adelanta y luego acompaña a otros compañeros de promoción, la del 50, de mensaje éticomoral (Amparo Amorós también ha señalado su relación con Claudio Rodríguez y Francisco Brines fundamentalmente). Desde este enfoque, la relación de Bousoño con los novísimos, al menos con los inicios de la generación, es imposible: del esteticismo de los jóvenes, aun con el carácter desafiante que éste pudiere tener, al decidido eticismo de esta poesía, hay mucha diferencia.

Ocurre sin embargo que la evolución de la poesía de Carlos Bousoño, de definida cosmovisión desde sus comienzos —cosmovisión central a la que se sumarán indispensables aportes en cada poemario—, es una sorprendente renovación en el plano del significante. Y es aquí, y en el más pleno encuentro con su voz, que es, sin duda, el que canta en *Oda en la ceniza* y *Las monedas*

[12] Jaime Siles, "La poesía de Carlos Bousoño: notas para una lectura interna y transversal", en *Carlos Bousoño*, número monográfico de *Anthropos*, 73, op. cit., pág. 40.

contra la losa, cuando la intensificación del uso de determinados procedimientos expresivos ya utilizados desde su primer libro, *Subida al amor,* y un singular irracionalismo escasamente anticipado por su poesía pero hacia el que ella tiende de alguna manera también desde su inicial título, emparentan la obra de Carlos Bousoño con el lenguaje del 68.

Ya hemos entrevisto los conceptos de *identidad* y *evolución* en la lírica de nuestro autor. En las páginas que continúan se ampliará y se afianzará lo que acabamos de esbozar.

EL AUTOR Y SU OBRA. *La poesía de Carlos Bousoño: Identidad y evolución.*

> *(...) A los trece años sentía ya fuertes deseos de ser un día poeta de relieve. No aspiraba a ser un Góngora, un Quevedo o un Garcilaso; pero sí un poeta auténtico, que no viniera a practicar la retórica, sino a hacer realmente, aunque acaso modestamente, eso que, en sentido propio, llamamos poesía. (Carlos Bousoño:* Reflexiones sobre mi poesía, *op. cit., pág. 11).*

Subida al amor.

Ya en 1960 Carlos Bousoño expuso con claridad el núcleo *fundamental* de su cosmovisión poética (señalamos la palabra *fundamental* pues a ella regresaremos), con expresiones que incluiría después en su más completo y conocido "Ensayo de autocrítica" ya citado:

De todas las dimensiones de lo real he sido siempre especialmente sensible a una de ellas: la temporalidad. Y creo que el verdadero protagonista de mi poesía, unas veces embozado y otras no, es el tiempo, o mejor, la sensación de existencia precaria que la realidad posee. En ese sentido, el mundo, y sobre todo el mundo humano, es para mí, aproximadamente, "la nada siendo". Utilizo a propósito esta fórmula, ya tópica y gastada en cierta jerga filosófica de los últimos decenios, pese a no ser la que con mayor exactitud capta la intuición depositada, como dije, en mis versos. Pues esa fórmula no expresa todo el valor, la positividad que mi poesía atribuye a ese "siendo" de las cosas, al ser de la realidad. Si se me permitiesen confesiones íntimas, diría que mi más honda raíz existencial consiste en el ansia, más aún, el frenesí de hallar, palpar y degustar la realísima realidad. He amado frenéticamente el mundo sabiéndolo perecedero, y por eso es la frase "Primavera de la muerte" y no "la nada siendo" la que mejor puede incorporar la intuición que perdurablemente se halla al fondo de mi vida y no sólo en mi poesía. Muerte o nada sería el mundo, pero en tanto que es, que está ahí para nuestros ojos enamorados, para nuestro oído, para nuestro corazón y nuestra inteligencia, tiene un gran valor, un máximo valor. Es un cálido manantial, una fragancia irrenunciable, una suprema fuente de posibilidad, una luz, una "primavera". Una primavera, claro está, patética. Admirable y angustiosa, delicada y terrible. Entre esos dos polos (valor y desvalor, ser y nada, muerte y primavera) discurre toda mi poesía, hecha de opuestos que no se excluyen. Cada libro desarrolla esta idea o mejor dicho, este sentimiento, de modo distinto y con tonalidades y vibraciones diferentes. Y unas veces predomina el lado negativo de esa central impresión (...) y en otras ocasiones se acusa sobre todo el lado positivo (...) y aún en ciertos casos se presentan, en más compleja intuición, los dos haces contrapuestos (...), algo que consistiendo en suprema felicidad, consiste también en dolor, desazón y angustia (...)[13].

La extensa cita ha sido inevitable: con ella, la identidad cosmovisionaria de la poesía de Carlos Bousoño, de raíz ético-existencial, ha quedado perfectamente puntualizada. Veamos cómo se gesta, se consolida y se presenta a través de sus libros.

"En *Subida al amor* comienza realmente la historia"

[13] Carlos Bousoño, *Poesías completas*. "Primavera de la muerte", Encuentro de Vicente Aleixandre, Ediciones Giner, Colección Orfeo II, Madrid, 1960. "Introducción del autor", págs. 18-19.

dice José Olivio Jiménez [14] y también esto afirmamos
nosotros, aunque en un sentido mucho más amplio que
el que el crítico le otorga en esta oportunidad. Y pese a
que han sido el conocido estudioso cubano y Francisco
Brines quienes más se han acercado a destacar la
importancia de *Subida al amor* dentro de la trayectoria
poética de nuestro autor, creemos que podemos, aprove-
chando sus indispensables aportes, dar un paso más y
ubicar este libro inicial no como mero preámbulo sino
como verdadero comienzo de la cosmovisión central de
la poesía de Carlos Bousoño y del sistema expresivo
que la encarna.

En el libro casi adolescente está ya sugerido el tema
central, como el mismo Bousoño ha señalado. Pero no
se trata solamente de la conocida referencia ubicada en
el poema "Cristo adolescente":

> ....
> Otras veces al mundo mirabas. De la mano
> de tu madre pasabas con gracia y alegría.
> Pasabas por los bosques como un claror liviano,
> por los bosques oscuros donde tu Cruz crecía. [15],

cuando el Hijo, que es vida y luz, contempla, en medio
de la "primavera" de la realidad o del "siendo", la
madera que inexorablemente crece para su muerte.
Debemos pensar que ya desde sl subtítulo del libro
—"Salmos sombríos. Salmos puros"—, se anuncia la
paradoja oscuridad-luz, o muerte y vida —aunque los
capítulos que responden a esos títulos, el I y el IV
respectivamente, no tengan una visión unitaria acorde a
la expresión que los agrupa, como es habitual en toda la
poesía de Bousoño—. Pero aún hay más: la expresión
"Salmos sombríos" (o el título del primer poema del

[14] José Olivio Jiménez, "Realidad y tiempo en la poesía de Carlos
Bousoño", en *Cinco poetas del tiempo*, Ínsula, Madrid, segunda edición
aumentada, 1972, pág. 343.

[15] Carlos Bousoño, *Subida al amor*. "(Salmos sombríos. Salmos
puros)", Edit. Hispánica, Adonais XVI, Madrid, 1945, pág. 59.

libro, "Salmo sombrío") anticipa claramente el de *Oda en la ceniza,* aunque las connotaciones semánticas de este título estén evidentemente acrecidas. También "salmo" es canto u oda, y también "sombrío" es ceniciento. Leamos con atención este primer poema:

Salmo sombrío

No pases, Dios, ante mi rostro oculto,
no cruces como un cielo sin estrellas
llevado raudamente, arrebatado
por un árbol veloz en las tinieblas.

No cruces alumbrado por la sombra,
incendiado con luz de sombra espesa
mientras mi cuerpo se retuerce en llamas
amando con silencio, angustia y peña.

No cruces mientras amo un cuerpo oscuro
mientras gimo entre cardos y entre piedras,
mientras beso con hierro y con tortura
venas ardientes, arenosas, ciegas.

Morderé tierra, romperé raíces,
desgarraré mi carne con fiereza,
pero aleja tu faz, tu faz que temo
en esta noche de rugido y selva.

Aléjate, abandóname en la sombra,
que quiero ser raíz y tierra seca
para poder amar este torcido
tronco sin luz, a solas y en tinieblas.

(Bousoño, Carlos: *Subida al amor,* op. cit., págs. 17 y 18).

Este poema surge del núcleo *fundamental* (seguimos subrayando la palabra) de la cosmovisión poética de Carlos Bousoño: desde la realidad que es "existencia precaria" pues es tiempo, se busca agónicamente a Dios; desde la vida —que es "noche de rugido y selva"— se busca la luz. El "frenesí de hallar, palpar y degustar la realísima realidad" está expresado con rabia, con violencia, con desesperación ("Morderé tierra, romperé raíces, [...]"), claro que desde la agonía que produce la distancia con el Ser, desde la frustración de no alcanzar la Realidad; el mundo es "la nada siendo", y el hombre, "tronco sin luz, a solas y en tinieblas".

Si a esto agregamos los recursos utilizados en el poema (paradojas: "cielo sin estrellas", "alumbrado por la sombra", "luz de sombra espesa"; símbolos: "árbol veloz en las tinieblas", "cardos", "piedras", "hierro", "noche de rugido y selva", "torcido tronco sin luz"; técnicas de acumulación, como la anáfora —versos 7 a 12— y la enumeración resaltada por la elipsis de la conjunción —versos 13 y 14—), además del vocabulario general, tendremos una cabal idea de hasta qué punto *Subida al amor* inicia esa cosmovisión unitaria que otorga sorprendente identidad a la poesía de Carlos Bousoño.

Veamos, en principio, el registro semántico más importante del libro. Aquí se encuentra, indudablemente, la intuición central de la temporalidad:

> (...) Y esto ocurre de manera más lograda, curiosamente, en los poemas de la sección tercera, "Cántico nuevo", dedicados al tema de Cristo. (...) Es importante destacar estos poemas (...) pues desde ellos, y también desde algunos de los "Salmos sombríos", hay ya un interés y una preocupación por marcar la dolorosa temporalidad de los seres, actitud que estará proyectándose con todo vigor hacia el futuro de esta poesía. (...) Invade aquí ya, de poderosa manera, ese profundo sentimiento que dará estructura al libro siguiente y que deriva de la lúcida reflexión humana sobre la materia mortal de que todo está hecho. (...)
>
> (Jiménez, José Olivio: *Cinco poetas del tiempo,* op. cit., págs. 348 y 349).

Además del tema del tiempo, en *Subida al amor,* como ya hemos notado al comentar "Salmo sombrío", se adelanta la "invasión de la realidad", "(...) definiendo con su oscura fuerza incluso a la misma presencia divina (...)", como dice también José Olivio Jiménez (ídem. ant., pág. 351). El mundo contrapuesto a la ingravidez, la luz, lo insustancial con que el sentimiento de ascensión al Señor y las manifestaciones del mismo muchas veces se expresan, es sólido, oscuro, bronco, como ya hemos entrevisto. La concretización de lo abstracto junto al estilo más evanescente e incorpóreo alcanzan ya de esta manera la senda de su más natural expresión.

La contraposición luz y sombra —la doble cuesta de la "primavera de la muerte" aunque transitada desde la perspectiva religiosa— es evidente en todo el libro porque ese tono religioso alcanza por momentos un canto confiado, claro, lleno del placer que embarga el alma del hombre con fe; otras veces, un desgarrador y oscuro desconsuelo, el del "Alma en tormenta de Dios", de "Tormenta de Dios" (pág. 71), y el de la existencial "tristeza de ser", de "La tristeza" (págs. 25-26).

Con *Subida al amor* se inicia la poesía religiosa de Carlos Bousoño, una religiosidad que, pese a lo que acabamos de decir, todavía existe, pero que a partir de este libro se irá gestando cada vez con mayor fuerza "desde la incredulidad", como ha estudiado excelentemente Francisco Brines[16]. Cuando la duda se instale definitivamente a partir de *Noche del sentido,* la raíz existencial de esta poesía conformará un decidido compromiso ético-metafísico:

No se puede vivir sin creencias y es igual vano intentar vivir sin valores. Cuando esto ocurre en medida grave nuestra vida se acerca, peligrosamente y con parecida gravedad, a lo puramente biológico e instintivo, esto es, deja, en buena porción, de constituirse como vida propiamente humana. Pero he aquí que nuestra época, en alguno de sus núcleos centrales, se ha aproximado a ese estado infeliz, sin haber tenido tiempo todavía (...) a empezar (...) la construcción de un nuevo hogar hecho de piedra fidedigna. Tal es, a mi juicio, una de las causas (sin duda hay otras) de la angustia que nos sobrecoge, ya que el agonioso desconcierto es la

---

[16] Francisco Brines, "Carlos Bousoño: una poesía religiosa desde la incredulidad", en *Cuadernos Hispanoamericanos,* números 320-321, febrero y marzo de 1977, Madrid, págs. 221 a 224.

consecuencia primera de este vivir a la intemperie que nos caracteriza [17].

La búsqueda dolorosa de ese "nuevo hogar hecho de piedra fidedigna" será la gran lección de dignidad en que nos instala la poesía de Carlos Bousoño, dignidad que nace de la aprehensión de los límites y del intento de su superación, en una aspiración de definido carácter trascendente, y que se nutre de la pasión por la verdad y se consolida en el inclaudicable compromiso que está en la raíz misma de la más alta condición humana: la de seguir en pie, pese a "este vivir a la intemperie". Magistrales lecciones de ética y de metafísica.

Queremos destacar aún que en *Subida al amor* se adelantan todavía otras características que serán definitorias en la cosmovisión poética de Carlos Bousoño: la tendencia hacia el irracionalismo, que evidenciará claramente el intenso uso de símbolos y paradojas, y el tema de la memoria como olvido. Es fácil comprender cómo una poesía de raigambre religiosa y con evidentes influencias de la poesía mística se ubica cómodamente en el alogicismo: basten como evidentes ejemplos de lo que decimos, además de una tendencia general a la irracionalidad en casi todo el libro, los poemas "El muerto" (págs. 28 y 29) y "Las almas" (págs. 42 y 43). Esa "luz extática" desde la que se canta transgrede con facilidad los esquemas de la lógica.

En "Elegía de la luz del alma" se anticipan las que luego serán importantes elucubraciones acerca de la memoria y del olvido; en el sucederse de la vida humana, el pretérito puede quedar resguardado o desvalido por cualquiera de las dos instancias de la misma vía de conocimiento, de las dos caras de la misma moneda:

Porque la vida es larga y la memoria
se olvida de la luz de aquel instante.

(*Subida al amor,* op. cit., pág. 33).

[17] Carlos Bousoño, "Una época en sus personajes", en *Papeles de Son Armadans,* Año XIV, Tomo LIII, Núm. CLVIII, Madrid-Palma de Mallorca, mayo, MCMLXIX, pág. 158.

Ya ha hablado Francisco Brines de la "poderosa expresividad retórica" de *Subida al amor,* la cual, junto al talante religioso del poemario, constituyen para el citado escritor las "dos características que definirán de ahora en más" la poesía de Carlos Bousoño (en Brines, Francisco: "Carlos Bousoño: una poesía religiosa desde la incredulidad", en *Cuadernos Hispanoamericanos,* op. cit., págs. 221 a 223). El uso abundante de paradojas y de símbolos; la tendencia a la plasticidad y concretización de lo abstracto junto al estilo más inasible o evanescente; la presencia de lo que más adelante denominaremos "pulverización analítica" ("Ola celeste", "Tormenta de Dios", "La luz de Dios", entre otros poemas), con el uso de repeticiones, anáforas, enumeraciones elípticas, etc.; el uso de epígrafes de procedencia bíblica o lemas escritos en ese tono religioso (cita del *Apocalipsis,* V, 9-10, en "Cántico nuevo"); la más variada presentación de metros y combinaciones estróficas; la presencia de la rima interna ("Dios y la tierra" —versos 14-15—); todo esto conforma en *Subida al amor* un registro expresivo absolutamente anticipatorio del que nos aguarda en los próximos libros.

Cosmovisión y expresión *fundamentales* desde el título inicial: basándonos en estos elementos podemos empezar a hablar con propiedad de la *identidad* de la poesía de Carlos Bousoño. Y también de su *evolución.*

Etapas en la poesía de Carlos Bousoño.

Imposible nos sería en esta breve introducción seguir detalladamente la transformación de la lírica de Carlos Bousoño, es decir, señalar paso a paso los aportes más significativos a la intuición esencial de su cosmovisión poética ya básicamente delineada en el primer libro y las variantes expresivas más importantes que van apareciendo. Hemos preferido por eso acercarnos más detenidamente a *Subida al amor* y centrar inmediatamente nuestro estudio en los dos títulos que hoy nos ocupan:

desde ellos abarcaremos sucintamente cómo *Primavera de la muerte, Noche del sentido* e *Invasión de la realidad* anticipan también algunos de sus logros y confirman la indispensable cuota de evolución para alcanzar el novedoso ciclo poético último. Pese a esto, aclaremos que ha habido diferentes opiniones acerca de las diversas etapas de la creación poética de Carlos Bousoño. Ya Leopoldo de Luis, en su artículo del año 1962, señaló dos "zonas" en las que se agruparían los primeros cuatro libros:

> (...) *Subida al amor* con *Primavera de la muerte* en la primera, adolescente y más subjetiva época, y *Noche del sentido* con *Invasión de la realidad* en la segunda, experimentada y más objetiva [18],

división que más tarde reafirmó el mismo Carlos Bousoño ("Ensayo de autocrítica", op. cit., pág. 188). Francisco Brines, quien ya formuló la idea de unidad y evolución en la lírica de Bousoño —pese a no insistir en la importancia de *Subida al amor* en la conformación de la visión central de esta poesía— se acerca a la opinión de Leopoldo de Luis y la completa, desde sus reflexiones de 1977, con la división en tres grupos duales (el tercero es obviamente el de *Oda en la ceniza* y *Las monedas contra la losa*), remarcando la idea de que cada libro "anticipa la andadura del siguiente": al primer ciclo adolescente y al segundo, de "madurez humana y poética" —el que ya acerca a Bousoño al grupo del 50— sigue la última etapa, de "intensa renovación expresiva" (remitimos al artículo completo de Francisco Brines ya citado). También Alejandro Duque Amusco [19] acude a una división en tres momentos, con idéntica separación dual, señalando que en el último ciclo se produce una

---

[18] Leopoldo de Luis, "La poesía de Carlos Bousoño", en *Papeles de Son Armadans*, Año VII, Tomo XXIV, Núm. LXXI, Madrid-Palma de Mallorca, febrero, MCMLXII, pág. 197.
[19] Alejandro Duque Amusco, "Carlos Bousoño: una obra unitaria", en *Anthropos*, Núm. 73, op. cit., págs. 38 y 39.

"síntesis conciliadora" en la que "palabra y mundo se funden". Pere Gimferrer destaca "el tránsito del neorromanticismo a la poesía como indagación metafísica" [20], traslado que, a su criterio, se produce a partir de *Invasión de la realidad*.

Estas divisiones desde la perspectiva sobre todo semántica no contradicen sino complementan las opiniones de quienes han entrevisto la evolución de la poesía de Carlos Bousoño fundamentalmente desde el aspecto formal. Tanto Amparo Amorós ("El esplendor de la ceniza", en *Anthropos*, op. cit.) como Carlos Bousoño (*Reflexiones sobre mi poesía*, op. cit.) y Jaime Siles han remarcado el gran salto expresivo —de procedimientos y de métrica— que suponen *Oda en la ceniza* y *Las monedas contra la losa* en relación con un primer estadio poético, el formado por los cuatro primeros libros. Es absolutamente cierto que en este primer grupo se encuentra el *inventario* de toda la lírica de Bousoño y que en sus dos últimos títulos se realiza un implacable *análisis* del mismo, como dice Jaime Siles, resaltando el rol de *Invasión de la realidad:*

> (...) *Invasión de la realidad* representa el *axis* de su obra, porque se encuentra allí todo lo que ella misma arrastra y, también, los puntos en que desemboca. En este sentido es su libro más sincrónico, dado que en él se sistematiza la morfología bousoñiana, y se adelanta (piénsese en "El jarro") el arquetipo de poema que su obra posterior más desarrollará. (...)
>
> (Siles, Jaime: "La poesía de Carlos Bousoño: notas para una lectura interna y transversal", en *Anthropos*, op. cit., pág. 41).

No se alejan estas nociones de *inventario* y *análisis* de Jaime Siles, desde sus perspectivas sincrónicas y diacrónicas, de las de *identidad* y *evolución* que perfilan todo lo que aquí decimos. Hemos insistido voluntariamente

[20] Pere Gimferrer, *"Las monedas contra la losa de Carlos Bousoño"* en *Destino*, Barcelona, Núm. 1857, 5 de mayo de 1973, págs. 47-48.

en estas ideas generales o globales porque en la lírica de Carlos Bousoño toda división o clasificación rígida es imposible: la cosmovisión central y la estructura de sus libros dan fehaciente prueba de ello. Las ideas de "primavera" y de "muerte" están en mayor o menor grado en un libro u otro, además de convivir en el mismo libro, o en el mismo poema, o hasta en un mismo verso: *identidad* que se traduce en una forma que responde a esta noción caótica en que los contrarios o las paradojas se resuelven, y que irá dando cada vez con mayor fidelidad evidente testimonio de esa con-fusión. Así nacerá, en una línea de *evolución* absolutamente lógica o natural, el ciclo más sorprendente de la poesía de Bousoño, el de *Oda en la ceniza* y *Las monedas contra la losa;* porque por novedoso que él pudiere parecer, responde sin titubeos al *fundamento* o a las claves *fundamentales* de toda su obra, tal como lo venimos apuntando desde la lectura de *Subida al amor:*

> El núcleo cosmovisionario (la idea de "primavera de la muerte") fue expresado por primera vez de un modo palmario en el poema "Cristo adolescente" de *Subida al amor* (...).
>
> Pero lo que más importa no es eso, sino cosa de mayor calado y decisividad: el hecho de que tal idea, la contenida en las frases susodichas, "primavera de la muerte" o "la nada siendo", resulte en mi obra *"fundamental",* en el sentido de que se constituye como *fundamento* de ella, responsabilizándose unitariamente de toda su diversidad temática y de todo su sistema expresivo, por muy evolutivo que, en definitiva, haya podido éste resultar. Y es que, por supuesto, tal concepción del mundo, al ser compleja desde su raíz, hubo de obrar en mí complejamente también, tolerando expresiones en diversos niveles y desde diversas perspectivas, y siendo capaz de ir revelando poco a poco, y como gradualmente, las variadas posibilidades de enfoque de que se manifestó pronto susceptible.
>
> (Bousoño, Carlos: "Ensayo de autocrítica", en *Poesía poscontemporánea,* op. cit., págs. 156 y 157).

Oda en la ceniza. Las monedas contra la losa.
Cosmovisión poética.

A partir de 1962, año de publicación de *Invasión de la realidad,* y dentro de un proceso de creación de evidente continuidad como lo demuestran algunos poemas de este libro (sobre todo "En un amanecer", "La calma", "Hablando de la vida, y carta", "El jarro", "Salvación de la vida"), Carlos Bousoño comenzó a escribir *Oda en la ceniza,* que recién se editaría en 1967. El bellísimo título tiene su historia, en principio, dentro de la misma obra del autor: "Salmo sombrío" de *Subida al amor* adelanta, como hemos visto, una buena parte de su connotación; pero es recién en *Primavera de la muerte* cuando aparece la palabra "oda", que alcanza, en la tercera parte del libro, "Odas elegíacas", casi la plenitud de las significaciones del título de 1967: poemas como "Sinfonía de la muerte", "Primavera de la muerte", "Oda primaveral y elegía" puntualizan ya sus connotaciones fundamentales. Todo esto sin olvidar que esta sección de *Primavera de la muerte* continúa paradojalmente a la titulada "Odas celestes": estamos frente al permanente forcejeo entre la exaltación gozosa y el patetismo en la poesía de Carlos Bousoño, entre la oda y la ceniza.

Esta última palabra, de poderosa carga nihilista por su alusión a lo incorpóreo, a lo insustancial, al polvo, complementa la historia del título con una fecunda tradición que la nutre. Quizás podríamos resumirla en un autor de inexcusable referencia, Francisco de Quevedo y Villegas (¿cómo no pensar en el terceto final de "Amor constante más allá de la muerte"?), si es que no se tratara de una metáfora de riquísima prosapia— sobre todo barroca y en el mismo Quevedo inclusive—, que llega hasta nuestros días. Valgan como ejemplos el magnífico poema que abre *A modo de esperanza* de José Angel Valente —que nos devuelve a la cita de Quevedo—, y el uso que del término hace Juan Luis Panero (Ver nota a V. 43 de "Salvación en la música" de *Las monedas contra la losa).*

En el soneto "Reposa, España", incluido en principio en *En vez de sueño* de *Hacia otra luz* (1952) y definitivamente incorporado a *Noche del sentido* (1957), Carlos Bousoño empezó a escribir la historia de su título *Las monedas contra la losa:*

> Amor limado contra tanta losa
> como contra una piedra una navaja.
> Amor que día a día así trabaja.
> Campo de soledad. Cielo de fosa[21].

En una estrofa en la que la idea incisiva de la temporalidad —clave para comprender el pleno significado del título *Las monedas contra la losa*— queda claramente resaltada, la correspondencia rimada "losa-fosa", intensificada por la paradoja con la que culmina el último verso citado, acentúa esta identidad semántica: la alusión al sepulcro.

También en el mismo libro, en *Noche del sentido,* comenzó Bousoño a esbozar la idea de *azar* o *juego* que derivará en el uso del término "moneda"; en el poema "Amada lejana", cuyo subtítulo, significativamente, es "(Juego de naipes)", los versos 10 a 12 ("Oigo que dices: "Está bien, juguemós". / "Juguemos fuerte en esta puesta", dices. / (Piensas en otra en donde intervendremos).", en *Noche del sentido,* op. cit., págs. 94 y 95) trasladan la idea del juego del amor —o de la vida— a la del juego de la muerte, el de la "otra puesta". Pero será recién en *Invasión de la realidad* (1962) donde se precisarán y afianzarán los referentes de *Las monedas contra la losa.* A la mención del término "moneda": "Henos acumulando día a día la pequeña fortuna de errores, / desgastados por la costumbre como una moneda cuya efigie se borra."[22], se agrega la intensificación del tema del azar o juego en el que nuestra condición mortal —"una moneda cuya efigie se borra"—, nuestra condición del ser para la muerte, nos sume. El sarcasmo

[21] Carlos Bousoño, *Noche del sentido,* Ínsula, Madrid, 1957, pág. 57.
[22] Carlos Bousoño, *Invasión de la realidad,* Espasa-Calpe, Madrid, 1962. "La calma", versos 8-9, pág. 41.

escéptico se adelanta y pese a la "invasión de la realidad", la misma realidad afirmada por ejemplo en "Al llegar a mi cuarto", no se ignora "(...) / si aquel sueño era un mal o un bien menor, / o acaso todo era / lo mismo, como un juego de azar que nada importa." [23].

Nada importa porque nuestras *horas* están *contadas* —*Con las horas contadas* diría Luis Cernuda, fuente que es citada directamente en *Al mismo tiempo que la noche* [24], cuando Carlos Bousoño ofrece la primera versión del poema "Las monedas contra la losa", con su inicial título, "Horas contadas"—:

> ...Que están contados los latidos de tu corazón, las acacias
>   en flor, las margaritas de la primavera, los llantos
> sepulcrales; contadas en la oscuridad
> y sonadas contra la losa, en minuciosa comprobación,
> las monedas de tu vivir, una a una.
> Mira cómo tintinean sobre la piedra, y cómo son apartadas
>   en oscuro montón
> de un solo golpe rápido por la mano del mercader astuto.
>
>   (Versos 1 a 6.)

El más radical escepticismo insinúa un despiadado tono irónico o burlón que será muy importante en *Las monedas contra la losa*.

Si comparamos los títulos de los poemarios que hoy nos ocupan parece evidente que hemos pasado del ámbito de la *oda* al de la *charada* (V. 27 de "La cuestión" de *Las monedas contra la losa*); de la afirmación "primaveral" de la realidad aún en medio de la desolación de la nada, al "menesteroso concierto" (V. 28, "La barahunda" de *Las monedas contra la losa*); y

[23] Carlos Bousoño, *Antología Poética. 1945-1973*, Plaza Janés, Selecciones de Poesía Española, primera edición, 1976, pág. 269. El poema "Al llegar a mi cuarto" es un texto agregado en esta *Antología Poética* a la selección de *Invasión de la realidad*, que no aparece en la edición *princeps* del mismo libro.

[24] Carlos Bousoño, *Al mismo tiempo que la noche*, edición de Angel Caffarena, Publicaciones de la Librería Anticuaria El Guadalhorce, Cuadernos de María Isabel, XXIV, Málaga, 1971. En las páginas 14 y 15 se ubica el poema "Horas contadas".

esto, en cierto modo, está confirmado por los respecti-
vos poemas que dan título a los dos libros. En "Oda en
la ceniza" (ver Notas al poema) el tono de profunda
congoja que produce el conocimiento de la verdad
—todo es tiempo— no impide cierta grandeza estoica
—el estilo pausado y por momentos hasta ceremonial da
testimonio de ella—, reforzada por el pedido de ayuda a
un "tú" que, como "yo", se halla en idéntico estado de
desvalimiento existencial; pero hay aquí un atisbo de com-
pañía —de "salvación", aunque ilusoria, como vere-
mos— en medio de "el hueco atroz de las sombras"
(verso final). El poema "Las monedas contra la losa",
desde su título —el del libro— ha descartado toda
opción "primaveral" y es el "mercader astuto" o Dios el
que indignamente lo decide todo, el que "en minuciosa
comprobación" cuenta "las monedas de tu vivir, una a
una" (como al sesgo, el uso que del término "moneda"
hizo Antonio Machado).

La comparación de ambos títulos y el somero comentario de sus poemas homónimos parece indicarnos que
Oda en la ceniza es un libro más afirmativo, menos
desconsolado que *Las monedas contra la losa*. Pero esto
es falso. El último ciclo de la poesía de Carlos Bousoño es sorprendentemente unitario o *idéntico* en su
cosmovisión central: la mayor extensión de *Las monedas
contra la losa* y el consiguiente aumento de la ironía o el
humor corrosivo siempre originados por el lacerante
escepticismo, inducen erróneamente a pensar que se
trata de dos libros de diferente mensaje, o, al menos, de
diferente caudal semántico, uno más esperanzado, otro
más nihilista. Lo cierto es que la novedad de *Las
monedas contra la losa* en relación con el título anterior
se dará fundamentalmente en lo expresivo, en la audacia
con que Bousoño utilizará recursos ya anticipados por
sus otros libros y, por supuesto, por *Oda en la ceniza,* y
que redundará entonces en una adecuación mucho más
decisiva de la expresión al referente, como oportunamente estudiaremos. Pero es el *fundamento* de toda la
cosmovisión de Carlos Bousoño, la con-fusión central

entre las nociones de "primavera" y "muerte" llevada a sus últimas consecuencias lo que, sin distingos, como ya hemos adelantado, está presente en ambos libros de este ciclo poético y les otorga innegable *identidad*. Veámoslo inmediatamente.

La idea de la "nada siendo" y todas las especulaciones derivadas de este núcleo generador constituyen la temática central de *Oda en la ceniza* y *Las monedas contra la losa,* ya sugerida, como hemos visto, desde *Subida al amor,* presente en *Primavera de la muerte,* y convertida en una patética pregunta desde *Noche del sentido.* Somos desde la muerte, desde la nada (ver Nota a "En la ceniza hay un milagro" de *Oda en la ceniza*); de allí venimos y hacia allí volvemos: "(...) / (...) hundido en el cuerpo nos habita / lo que seremos bajo el campo." (V. 7-8 del Poema 2 de la serie "Tres poemas sobre la muerte" de *Primavera de la muerte,* op. cit., pág. 43); y toda la realidad, nuestra realidad, es nada más que eso, pues al mismo tiempo que vivimos, morimos, ya que lo único que no muda, paradójicamente, es el tiempo, y "(...) / avanza / en la noche, / implacable, este río." (V. 11-12-13, de "El río de las horas" de *Las monedas contra la losa*). Es ésta la única certeza que sin embargo, por su carácter de permanente movimiento, se nos esconde:

> ....
> dónde
> se esconde.
> Dónde, dónde estará, dónde está ya, dónde está ahí,
> [dónde está
> muerto ya, hace ya mucho ya,
> dónde tú, vivo, muerto, hecho, dicho,
> nicho,
> ya [25].

Son numerosos los poemas de ambos libros que con extremo escepticismo o con trágica ironía cuestionan el

[25] Carlos Bousoño, *Oda en la ceniza,* Ciencia Nueva, Colección El Bardo, 35, Madrid, 1967. Versos 20 a 26 de "Dónde", págs. 32-33.

sentido de la existencia, el de nuestro ser en el tiempo, sin dejar por ello de advertir que, aunque a veces sólo de manera tangencial, casi no hay un solo texto en *Oda en la ceniza* y *Las monedas contra la losa* que no aluda al mismo tema. "Experiencia", "Comentario final", "Biografía", "Giros", en el primer título, y "Las monedas contra la losa", "El río de las horas", "Irás acaso por aquel camino", "Juan de la Cruz", "Mientras en tu oficina respiras", "Monólogo hacia el destino", en el segundo, son elocuentes testimonios de su agónico tratamiento; "El baile", "El mundo está bien hecho" *(Oda en la ceniza),* "La feria", "La barahunda", "El equilibrista" *(Las monedas contra la losa)* de la derivación al ámbito del absurdo, de lo grotesco, de la farsa en que todo consiste.

El dolor que provoca este saber es uno de los importantes subtemas de *Oda en la ceniza* y *Las monedas contra la losa* y la causa principal de la vasta especulación acerca del "más acá" y del "más allá". El sufrimiento es, en principio, analizado en sí mismo: asaltar la "inenarrable ciudad" del dolor en un "inacabable y tumultuoso quehacer" (ver versos 70 a 79 de "Investigación del tormento" de *Las monedas contra la losa*) es el costoso "Precio de la verdad" *(Oda en la ceniza);* aprender a no mentirse a sí mismo ni a los demás es la aceptación de la realidad: "Tras la meditación espantosa, el hombre puede oír, / palpar y ver, / y conocerse y ser entre los hombres". (V. 35 a 37 de "Análisis del sufrimiento", *Oda en la ceniza*). De este saber arrancado de la emoción con "rigor de axioma" ("Investigación del tormento", *Las monedas contra la losa*), de esta radical experiencia, nace el sólido mensaje ético de la poesía de Carlos Bousoño, la posibilidad de "La nueva mirada" *(Las monedas contra la losa)* tras el acceso purificador aunque terrible al conocimiento, y en consecuencia la entrañable solidaridad con el triste destino del hombre ("Corazón partidario", *Las monedas contra la losa*).

El triste destino del hombre es ser tiempo: las dolorosas consideraciones de la vida como devenir provocan la aparición de dos subtemas de importancia: la memoria —con su contrapartida, la especulación sobre el futuro— y la vejez. Todo está en el presente:

. . . .
en ese instante, o este instante digo desde todas las regiones
de mi vida
en simultaneidad,

> ("Desde todos los puntos y recodos y largas avenidas de mi existir", *Las monedas contra la losa,* V. 53-54).

No sólo el pasado, sino también el futuro que, desde el momento en que lo pensamos o imaginamos, ya está ahora en nosotros:

. . . .
Y al mismo tiempo, el viejo que aún no soy
está ya contemplándome
ahora, mientras escribo estas palabras
mirando fijamente mi rostro en la penumbra de esta alcoba
y el muerto yace en el negro ataúd y alguien dice: "Ya
ha muerto."

> (Versos 31 a 35 de "Desde todos los puntos y recodos y largas avenidas de mi existir").

Pero es fundamentalmente la memoria, con la historia de lo ya vivido, el tema que aparece en estos libros con mayor incidencia. "Rememoración de incidentes" y "Formulación del poema" *(Las monedas contra la losa)* nos muestran la desolada visión que de él nos ofrece Carlos Bousoño:

. . . .
El parto terrible de la memoria era el viento,
la noche terrible de la memoria se llamaba aquilón.

> (Versos 28-29 de "Rememoración de incidentes").

En medio de la tempestad de la vida sólo conservamos fragmentos, restos miserables, ecos (ver versos 1 a 18 de "Formulación del poema") de lo que hemos tenido: es lo poco que nos dejan los despiadados vientos del olvido, símbolos de la precariedad de nuestra existencia, de su insustancialidad.

El tema de la vejez está presente sobre todo en uno de los poemas más logrados y originales de *Las monedas contra la losa:* "Investigación de mi adentramiento en la edad". La idea ya está presentada en uno de los textos de su juvenil *Hacia otra luz* y definitivamente incorporado a *Noche del sentido* con el título de "Meditación desde la noche":

....
envejecemos horribles
entre la luz gigantesca.

(*Noches del sentido,* op. cit., pág. 43).

En la connotación de lo indigno, de lo desagradable, de lo grotesco que implica envejecer se desarrolla magistralmente el poema de *Las monedas contra la losa.*

Toda nuestra "Biografía" *(Oda en la ceniza)* es por lo tanto un absurdo, un doloroso balbuceo por decir el "huidizo vocablo". Ha dicho el mismo Carlos Bousoño al comentar el poema inicial de *Las monedas contra la losa,* "Decurso de la vida", que:

(...) La vida que vamos viviendo es, en sí misma, un "decir"; pero como la vida no tiene sentido, o lo tiene sólo a medias, en esbozo o insinuación confusos, ese decir será un decir "penoso", una "ignominia verbal", una palabra que se nos escapa, que no podemos controlar ni enunciar por completo, y que en cuanto fatigosamente al fin la llegamos a pronunciar, le ocurre "palidecer y anublarse" "en la intemperie suave de toda privación", etc. Todo el poema es un concienzudo y trabajoso análisis de nuestro esfuerzo por llegar a silabear plenamente el huidizo vocablo, que, de pronto, "da marcha atrás (...) hacia su origen puro / velozmente, hasta un cero semántico", que, claro está, no puede ser sino la muerte. Y sólo allí, sólo en ese cero semántico o muerte, o mejor dicho, más allá de él, en el pleno reino de la "no significación", ese vocablo, que es nuestra historia, nuestra biografía, se realiza "colérica": se simboliza, pues, así que la vida, al llegar a su término fúnebre, es cuando nos dice al fin, bochornosamente y con rabia, su secreto, su verdadero sentido, que es, justamente, carecer de él.

(Carlos Bousoño: *Poesía Poscontemporánea*, "Ensayo de autocrítica", op. cit., pág. 199).

Sólo así, entrevistos los límites, por trágicos que ellos resultaren, es posible sentir que vale el mundo pese a su carácter de "flatus vocis" (Ver Nota a "El mundo: Palabras", *Oda en la ceniza*) y puede *invadir la realidad,* o el aquí, o el milagroso presente de la ceniza. Aparecen entonces algunas ilusorias formas de salvación y algunos semidioses, "melancólicos sustitutivos del Dios inexistente" (Ver Nota a V. 3-4 de "Salvación en la palabra", *Oda en la ceniza*).

El amor, entendido en principio, como ya hemos entrevisto, como una vocación de solidaridad hacia el otro, como un "gesto generoso" al que sólo accede quien ha sufrido y por consiguiente comprende o conoce, es una de las importantes formas de esa "salvación":

Sois vosotros los llamados, los elegidos
para que decidáis si ha de durar el gesto generoso
de vivir como vida en más que vida,
de aceptar con modestia ser tan sólo
un puente en el camino,
un puente tenebroso, esclarecido
por el amor tan sólo...

(V. 30 a 36 de "Salvación del amor", *Oda en la ceniza*).

También el amor, ahora con sus connotaciones eróticas, deja su estela "primaveral" en esta sombría poesía (Sección III de *Oda en la ceniza;* "Letanía para decir cómo me amas", *Las monedas contra la losa*).

La fascinación por todo lo que dura más que el hombre, aunque también acabe, es lo que provoca y completa la cuota de luminosidad que estos dos libros nos entregan. La figura del joven ("El joven no envejece jamás", "Fila juvenil", *Las monedas contra la losa*) ya anticipada desde *Primavera de la muerte* ("Todo pasa, mas todo existe de pronto en el alma del que estrena la vida", V. 22, "El adolescente", op. cit., pág. 82), y su contrapartida, la figura del viejo pleno de templanza y de sabiduría ("Canción para un poeta viejo", "A un poeta sereno", "Tú que conoces", *Oda en la ceniza*) son seres casi míticos, perfilados desde las connotaciones de una ilusoria eternidad. Otros seres, ahora del mundo vegetal y del mineral, y algunos objetos completan la visión de lo entrevisto desde esta falaz perennidad: "La puerta" *(Noche del sentido),* "A un olivo milenario", "A una montaña", "El jarro" *(Invasión de la realidad)* anticipan poemas como "A un espejo antiguo" *(Oda en la ceniza)* o "El guijarro" *(Las monedas contra la losa):*

> (...) Todo lo que dura, todo lo que es consistente y tiene solidez me ha producido pasmo, fascinación, reverencia que tengo que llamar, aunque ello pueda parecer raro, religiosa, pues lleva el sello de una auténtica veneración. (...)
>
> (Carlos Bousoño: *Poesía poscontemporánea,* "Ensayo de autocrítica", op. cit., pág. 164).

Hemos hablado de ilusoria eternidad: no es extraño, por lo tanto, que sea el ámbito de la cultura el que complete el tema de la deseada aunque improbable salvación: "Salvación en la palabra" *(Oda en la ceniza),* "Formulación del poema", "Poética" y·"Salvación en la música" *(Las monedas contra la losa)* ofrecen fiel testimonio de él.

La especulación acerca del "más acá" provocada, como hemos dicho, por el dolor que supone el conocimiento de la verdad, se complementa con la pregunta acerca de "el otro lado", que, sugerida desde *Subida al amor* y *Primavera de la muerte,* se formula ya claramente en el poema "Decidme" de *Noche del sentido:*

> Dime que es cierto mi vivir. Decidme,
> ayudadme a pasar por este río,
> por este largo río. En esta niebla
> helada, hundido, te pregunto
> a Ti, Señor, pregunto si existimos.
>
> Y si en la larga noche donde nadie
> se detiene, decidme, si en la larga
> noche, existe alguien que respira
> al otro lado, si del otro lado
> alguien respira hondo, si respira
> despacio, vida plena, a bocanadas.

> (*Noche del sentido,* "Decidme", V. 1 a 11,
> pág. 97).

El dolor que provoca el cuestionamiento ante la precariedad de la existencia deriva en la pregunta por el "Más allá de esta rosa": es en este poema, en "La prueba" —con tono de broma o humor incisivos— y en "Cuestiones humanas acerca del ojo de la aguja", de *Oda en la ceniza,* y en "La búsqueda", "La cuestión", "Alba de la muerte", "El río suave" —a los que podrían sumarse algunos fragmentos de "Desde todos los puntos y recodos y largas avenidas de mi existir", "El equilibrista" e "Irás acaso por aquel camino"—, de *Las monedas contra la losa,* donde Bousoño se refiere a este enigma fundamental. Quizás valga considerar aquí dos aspectos de este tratamiento: la especial simbología del mundo "invertido", "al revés" —véase además los versos 7 en adelante de "Mientras en tu oficina respiras"— que utiliza reiteradamente el poeta para referirse a esa posible realidad trascendente (obvia es la aparición del vocabulario y fuentes religiosos en varios poemas) y la esencial ambigüedad que resulta de las consideraciones sobre el Más Allá. Ha hablado el mismo Carlos Bousoño de la novedad de la expresión simbólica del mundo de la muerte:

(...) Véase (...) la expresión simbólica que halla el mundo de la muerte, como contrario del de la vida, en la segunda parte del poema "Más allá de esta rosa": alguien, que soy yo mismo en el Más Allá, está ejecutando ya en ese otro mundo cuanto yo ejecuto ahora en éste, pero ocurre que la ejecución allende la frontera fúnebre se lleva por modo rigurosamente opuesto al de su modelo de aquende, anulando así el sentido que los actos del lado de acá hubieren podido tener:

> *Y escribe mis palabras al revés y las borra.*
>
> *(Poesía poscontemporánea,* "Ensayo de autocríti-
> ca", op. cit., págs. 222-223).

Nótese además la novedad del tratamiento de ese otro posible mundo paralelo a éste en el que somos y que, paradojalmente, se le parece, en el poema "Alba de la muerte" (léase la primera nota crítica al texto).

¿Cuáles son las conclusiones, si las hubiere, de esta tenaz indagación metafísica? ¿Hay en estos dos libros esperanza de un posible Más Allá, la sospecha de un Alguien con quien al fin podamos dialogar de verdad, confianza en la Salvación? Pese al escepticismo aparentemente radical sobre este tema, es quizás la ambigüedad, el ámbito de la duda, el de la eterna lucha entre el corazón y la razón, entre el querer y el creer, el mensaje que nos legan *Oda en la ceniza* y *Las monedas contra la losa:*

> ....
> mientras la noche llega y la noción se extingue,
> estoy diciendo algo, que no entiendo, no oigo,
> no pronuncio, no digo,
> estoy diciendo algo, murmurando
> algo, no sé,
> a Alguien, quizá,
> que no sé quien,
> quizás,
> pudiera muy bien ser
> o haber sido.

("Desde todos los puntos y recodos y largas
avenidas de mi existir", *Las monedas contra la
losa,* V. 66 a 75. Recomendamos leer Nota a V.
24 a 27 de "Siéntate con calma en esta silla", del
mismo libro).

El núcleo *fundamental* de la cosmovisión poética de
Carlos Bousoño, la noción de "primavera de la muerte"
que vertebra toda su obra, y las consideraciones acerca
del Más Acá y del Más Allá que él genera, también
otorgan innegable *identidad,* como queda visto, a ambos
poemarios. Pero ellos asimismo suponen una importan-
tísima cuota de *evolución* en la trayectoria lírica de
Bousoño; ya nos hemos referido someramente a ello al
hablar de las etapas de su creación; recordemos lo que el
mismo escritor dice acerca de su último ciclo poético:

(...) La gran transformación poemática que en mí se
produjo me cogió, por completo, desprevenido. Yo era un
tipo de poeta, y de pronto me convertí en otro tipo
totalmente distinto, y hasta, en cierto modo, opuesto al
primero. (...) Aparecía yo en mis cuatro libros iniciales
como un poeta estrófico, en quien predominaba el verso
tradicional (consonante o asonante), de estructura por lo
general relativamente sencilla; la actitud del protagonista
poemático se definía como pensativa y emocional: pero el
pensamiento en cuestión era lineal y claro, y lo mismo le
pasaba a la emoción, cuya complejidad, cuando existía, no
pasaba de la unión de contrarios (...). La palabra no
buscaba nunca o casi nunca la brillantez, la sorpresa
lingüística o sintáctica e imaginativa. (...) El esplendor del
lenguaje quedaba fuera (...) de mis pretensiones fundamentales.
    ¿Qué pasó con este esquema al llegar *Oda en la ceniza* y
sobre todo *Las monedas contra la losa*? (...) un buen día
(tenía yo entonces unos cuarenta años) me encontré súbitamente y sin buscarlo escribiendo de otra manera. En este
caso, lo que sucesivamente me venía a la pluma, se hallaba
estilísticamente remoto de cuanto yo hasta entonces había
realizado en poesía. Puedo decir con toda verdad que mi
nuevo estilo me sorprendió. Lo que de él me resultaba más
inesperado era la complejidad extrema de las expresiones y

de las significaciones, su incesante cruce y entrecruce, y la
continua sorpresa verbal y de representación en que consis-
tían, tan ajeno todo ello a mi anterior manera literaria. (...)

(Bousoño, Carlos: *Poesía poscontemporánea,*
"Ensayo de autocrítica", págs. 180 a 182).

Veamos en qué consistió la nueva "manera literaria"
del último ciclo poético de Carlos Bousoño, atendamos
a su novedad y a su vez, comparativamente, a la
novedad que supuso la aparición de *Las monedas contra
la losa* en relación con *Oda en la ceniza.*

La novedad expresiva en Oda en la ceniza
y Las monedas contra la losa.

Este poemario, el publicado en 1967, está compuesto
por veintiocho poemas divididos en cinco partes que no
llevan título y que conforman una estructura que, con la
excepción de la sección III, donde la presencia del ser
amado otorga cierta unidad semántica a los cuatro
poemas que la componen, no responde a ninguna regla
de coherencia interna o no se rige por ningún viso de
homogeneidad, simplemente porque ellos no han sido
buscados o porque ha sido imposible hallarlos. Se llega
así a un nuevo orden o a un orden nada ortodoxo que es
un aparente desorden: de esta manera, un poema de la
primera sección podría estar en la cuarta, o en la quinta,
o el movimiento ser a la inversa. Estamos, por consiguiente, frente a una estructura que responde fielmente
a los más firmes códigos de toda la morfología bousoñiana: ¿sería posible que ocurriera de otro modo
luego de conocer que todo el libro nace de un mismo
impulso generador, el de la idea de la "nada siendo"?
Quizás sí. La primera novedad de *Las monedas contra
la losa* con respecto a *Oda en la ceniza* se encuentra en su
estructura, el logrado resultado de una voluntad de
orden —ahora "ortodoxo", el que impone la lógica
de la semántica— al que Bousoño habrá llegado seguramente en un esfuerzo nada fácil. Los treinta y cuatro
poemas que componen el libro se agrupan en seis partes

que llevan sus correspondientes y orientadores títulos: desde las dos primeras secciones, "La búsqueda" y "Las monedas contra la losa", de decidida especulación metafísica, y pasando por la tercera, el adentramiento en la "Investigación del tormento" (poema-sección central y eje de todo el libro), puede arribarse al estoico mensaje de la sexta parte, el de "La nueva mirada", tema de cuyo antecedente baudelairiano ya ha hecho referencia Pere Gimferrer ("*Las monedas contra la losa* de Carlos Bousoño", en *Destino,* op. cit.). Las secciones cuarta y quinta entremezclan con más evidencia que en las demás partes los mensajes "primaveral" y su opuesto, el nihilista, de toda la poesía metafísica de Carlos Bousoño. En un excelente artículo que recomendamos leer en su totalidad, ha destacado José Olivio Jiménez la originalidad y la dificultad de *Las monedas contra la losa:*

Se está ante una aventura del pensamiento; pero, a la vez, frente a una aventura del lenguaje. De otro modo: se trata de un esclarecimiento de la significación (el poeta dirá: *de la insignificación*) de la vida, y, a la vez, de una puesta en cuestión de la dudosa validez de la palabra que pudiera comunicar aquella "no significación". Más que en ningún libro anterior, su contenido es apenas discernible para el lector (y sólo a medias, tal es su preñado potencial de significaciones) sino mediante el examen de nuestra reacción emocional (...) a la intrincada madeja léxico-imaginativa con que se nos reta desde el poema. (...) El discurso, impecablemente engranado, y las imágenes libérrimas que entre sí chocan y se anulan, acaban por devenir máscaras trágicas de un mismo e inasible rostro, que es a su vez el rostro último de todos: el silencio. El silencio, metáfora congeladora y punzadora del vacío existencial y de la ilusión del yo: destino final de la poesía moderna. La retórica cumple así su más irónica misión: reflejar a través de un juego de espejos verbales que por ello es vivido como *ignominia,* la evanescente corporeidad de lo real tanto como del pensamiento inquisitivo que de un modo vano se empeña en apresar y expresar aquella realidad[26].

[26] José Olivio Jiménez, "Crónica de poesía: Bousoño y Valente", en *Plural,* México, Núm. 46, julio de 1975, págs. 59 a 71.

Las monedas contra la losa es sin dudas el poemario más audaz y, por consiguiente, el más hermético de toda la obra de Carlos Bousoño, además de tratarse de su libro más extenso y el que contiene, en proporción, los poemas de mayor desarrollo: sobradas razones para intentar una más clara disposición de sus textos, su primera novedad con respecto a *Oda en la ceniza,* que responde con seguridad al siempre renovado intento del poeta, evidente a lo largo de todo este título, por hacer más accesible la lectura de sus versos. La titulación de secciones, los subtítulos de poemas, los lemas, el uso de mayúsculas aclaratorias, en fin, toda una variada gama de recursos está al servicio del más logrado acceso a *Las monedas contra la losa:* pautas de ordenación y de contención para abarcar la incesante sorpresa de este último lenguaje de Carlos Bousoño, el que más que nunca, como ha explicitado José Olivio Jiménez en el artículo recién citado, se adecua a su referente.

Tanto en *Oda en la ceniza* como en *Las monedas contra la losa* se acentúa, en principio, el uso de recursos expresivos que utiliza el poeta desde *Subida al amor* y que aquí se enriquece en forma notable fundamentalmente por el irracionalismo imperante en este último ciclo poético: los más importantes son la paradoja y el símbolo. Como ya ha estudiado exhaustivamente José Olivio Jiménez, la paradoja responde al "(...) dual y contrario punto de vista desde donde observa el mundo (...)" [27] Carlos Bousoño, aunque, como el mismo poeta ha aclarado:

> (...) la explicación de las paradojas no siempre consiste en su referencia inmediata al núcleo cosmovisionario como tal. A veces la explicación posee una extensión aún más reducida, pues sólo satisface a uno o dos, o pocos ejemplos más. Así, describir la puerta del cielo como:

[27] José Olivio Jiménez, "Verdad, símbolo y paradoja en *Oda en la ceniza* (1967) de Carlos Bousoño", en *Diez años de poesía española* (1960-1970), Ínsula, Madrid, 1972, págs. 243 a 279. Pág. 269.

"la puerta que no gira
ni se abre ni cierra"

("Oda en la ceniza")

al cielo mismo como un:

"estallido de veneración"

(Id.)

o al propio Dios, de este modo:

"calcinante
idealidad sagrada que no arde ni quema
en la deslumbradora invisibilidad"

(Id.)

responde, sin duda, a la contradicción racional que la
Divinidad y todo lo que le atañe conlleva por el mero hecho
de su existencia más allá de la naturaleza y de la lógica".

(*Poesía poscontemporánea*, "Ensayo de autocrítica", op. cit., pág. 184).

Ya hemos entrevisto la importancia de la paradoja al
esbozar la cosmovisión fundamental de la poesía de
Carlos Bousoño desde *Subida al amor:* ahora, a partir
de "Salvación en la palabra", el primer poema de *Oda
en la ceniza* (ver Nota a V. 50-51), y de "Decurso de la
vida", el texto inicial de *Las monedas contra la losa,* su
uso es constante, casi permanente, en ambos libros.
Remitimos a la ordenación de formulaciones paradóji-
cas propuestas por José Olivio Jiménez en el texto
últimamente citado (págs. 269 a 278), así como a las
notas de nuestra edición.

Y esto, porque consideramos más necesarias algunas
precisiones acerca de los símbolos en la poesía de Carlos
Bousoño para facilitar la lectura de este último ciclo
poético. Huelga decir que es José Olivio Jiménez en
"Verdad, símbolo y paradoja en *Oda en la ceniza*
(1967)" (op. cit., págs. 259 a 269) quien también ha
ordenado la simbología bousoñiana en siete fundamentales apartados que trataremos de resumir prolijamente,

con el agregado de alguna consideración sobre todo
referida a los símbolos de *Las monedas contra la losa.*
Comienza el estudioso cubano por considerar la importancia del símbolo de la *ceniza* al que ya hemos hecho
referencia al hablar del título *Oda en la ceniza,* para
pasar inmediatamente a los elementos del reino natural
sombra (o *noche, tiniebla, oscuridad, abismo*), *luz, viento*
y *mar.* Es suficientemente claro el ámbito de significación de los dos primeros símbolos en la poesía religiosa
de Carlos Bousoño, así como la intrascendencia de la
noche y la búsqueda de la *luz* desde la angustiosa duda
instalada a partir de *Noche del sentido.* El *viento* alude
fundamentalmente a lo inasible, a la "inconstancia e
inconsistencia del vivir y la imposibilidad de una fe
sólida y resistente (...)". (José Olivio Jiménez, op. cit.,
pág. 263). Aclararíamos y agregaríamos todavía que el
viento es por todo esto símbolo del tiempo ("En la
ceniza hay viento y no se oye" —V.17 de "En la ceniza
hay un milagro"—, pues es devenir, fluir y futuro) y que
a veces transporta a la noción de tempestad o de
huracán en que consiste la vida (léanse como ejemplo
los versos 26 a 34 de "Rememoración de incidentes").
En cuanto al *mar,* dice José Olivio Jiménez que:

(...) Bousoño parece desentenderse de la tradicional asociación de este símbolo con la muerte; y así puede servirse de
él, en "Canción para un poeta viejo", como representativo
de la plenitud grandiosa y serena alcanzable, excepcional-
mente (...) por algún ser humano (...). Personal es también
su uso del mar como expresión de la vida en tanto que
dolor y amargura sucesivos y constantes ("Susana"), para
lo cual se hace a veces más efectiva su alteración y
traslación por sinécdoque con el término *ola,* tal en este
ilustrativo pasaje de "Cuestiones humanas acerca del ojo de
la aguja" (...). (Sigue cita de versos 12 a 31 del poema
mencionado).

(José Olivio Jiménez: *Diez años de poesía española,* "Verdad, símbolo y paradoja en *Oda en la
ceniza* (1967)", op. cit., pág. 264).

La *flor*, cuya presencia deriva en la poesía de Bousoño de las flores espirituales ya presentes en el canto religioso de *Subida al amor*, complementa, con la idea de su breve pasar, el de la vida, la del vacío que sugiere el símbolo del *pozo:*

> (...) La imagen del *pozo*, por su sentido de oquedad ligada al hombre pues éste lo construye, se ciñe con ejemplar verdad a la idea del vivir como un vacío construido por su agente. (...) "Comentario final" nos provee de una espléndida oportunidad, si tenemos en la mente ahora que la antelación de la muerte allí narrada se ambienta como la escena de un hombre asomado al brocal del *pozo del no ser*. Y la vida humana es calificada lapidariamente como un *pozo de realidad*, con su antinómica sugerencia de algo a la vez hueco y sustancial. (...)
>
> (José Olivio Jiménez: *Diez años de poesía española*, "Verdad, símbolo y paradoja en *Oda en la ceniza* (1967)", op. cit., pág. 265).

Véase la asociación de *viento* (con un símbolo complementario del desgaste del vivir, la *sal*), *humo* y *cueva* en los versos 14 a 17 de "La ruina" de *Las monedas contra la losa*.

Las sensaciones auditivas *(música, cántico, silbido)* o su ausencia *(silencio)* hacen referencia casi siempre a la verdad y el secreto, al ser y la nada, en ricos entrecruzamientos semánticos que nos remiten al ámbito de lo misterioso, de lo desconocido (véanse los versos 45 a 60 de "Salvación en la palabra", y 18 a 23 de "En el centro del alma"). Si el *viento* puede ser tempestad o huracán, también el sonido puede ser "La barahúnda" o el estruendo —"(...) el estruendo de estío, el ruido de la procreación (...)", V. 14 de "Investigación de mi adentramiento en la edad". Numerosos son los poemas que utilizan estas violentas imágenes que aluden al frenesí y al desorden del vivir y del morir.

Entre las instancias del ser y la nada se ubica otro símbolo, el de la *burbuja:*

(...) por su misma tenuidad podrá simbolizar ese frágil puente intermedio entre el hombre y su permanencia, que aquél pretende tender a través de su poesía. "Como burbuja leve la palabra / se alza en la noche" en la pieza inicial del libro. O en otro momento, de "Divagación en la ciudad", el esbozo de un puente también, pero más sutil aún: el de un oculto, remotísimo designio, entrevisto o escuchado a medias, como el chispazo fugaz de alguna trascendencia: "No sé, una burbuja / que acaso significa, como si viniera a nosotros / respirada por alguien, detrás de la tiniebla".

(José Olivio Jiménez, ídem ant., pág. 266).

Léanse las similares connotaciones del *globo* en "Investigación de mi adentramiento en la edad" (V. 4 a 7.)

Ya en el poema "El apóstol" aparecido en principio en *Hacia otra luz* (1952) y definitivamente incorporado a *Noche del sentido* (op. cit., pág. 64) menciona Bousoño "utensilios, cucharas", el mundo de los objetos manufacturados, que, como bien apunta José Olivio Jiménez, se instala plenamente en *Invasión de la realidad*. Su permanencia, su consistencia, que, como ya hemos estudiado, los convierte dentro de esta cosmovisión poética en una suerte de semidioses, se ve alterada a partir de *Oda en la ceniza* por la presencia de la "carcoma", de lo "desvencijado", de lo "raído" (ver versos 1 a 4 de "Precio de la verdad", o versos 1 a 13 de "Sola"): son entonces los calificativos, como anota Jiménez "(...) los que se arrogan calidad simbólica, funcionando como signos de indicio de la deplorable condición ontológica de toda la realidad". (José Olivio Jiménez, íd. ant., pág. 267).

La *cifra* o el *número* como signo de la "nulificación total del hombre" constituye uno de los símbolos más originales de esta poesía:

(...) Se trata, en "Sensación de la nada" como instancia ejemplar, de proceder a la *reducción del orbe a un punto, a una cifra que sufre*. La desrealización lograda por este símbolo es tan efectiva y tan entrañada a la concepción del hombre dentro del pensamiento poético actual de Bousoño, que aun en un movimiento de signo contrario, o sea, afirmativo, siente la necesidad de servirse del mismo; y ello ocurre en "Salvación del amor", viéndose obligado entonces a calificarlo de la más insólita y opuesta manera: *Salvad tan sólo un número caliente.* (José Olivio Jiménez, ídem. ant., págs. 267-268).

Léanse los versos 10 a 12 de "Investigación de mi adentramiento en la edad" como ejemplo del uso del mismo símbolo en *Las monedas contra la losa.*

En las correspondientes notas a textos hemos hecho referencia a los símbolos del *baile* y del *agujero* que ubica José Olivio Jiménez en la séptima agrupación, la correspondiente, en su ordenación, a símbolos aislados. *Girar* y *borrar*, a los que podríamos agregar nosotros *bailar, correr, crecer, pasar, temblar, contar, levantar,* entre otros, son los verbos que señala José Olivio Jiménez y que elige Carlos Bousoño para simbolizar la evanescencia de todo quehacer humano.

Al esbozar el uso de la paradoja y el símbolo en *Oda en la ceniza* y *Las monedas contra la losa* hemos abarcado, en principio, el ámbito de los recursos expresivos característicos de toda la poesía de Carlos Bousoño, aunque, como hemos visto, evidentemente enriquecido con originalidad en este ciclo poético (en notas a textos se da noticia de la novedad en el uso de alguna simbología específica). Y esto es así porque, como ha explicado el mismo Carlos Bousoño al referirse a estos dos libros en su citado "Ensayo de autocrítica", la causa general estética del nuevo estilo es la "sorpresa expresiva", la búsqueda de un lenguaje que se convirtiese en "una verdadera caja de sorpresas, muy parecida al mundo".

Pese a todo, y por la manera discursiva-reflexiva-ensayística en la que se desenvuelven casi todos los extensos poemas de ambos libros, escritos en versículos ("Experiencia", "Biografía" de *Oda en la ceniza,* o "Poética" de *Las monedas contra la losa,* cuyo desbordante caudal semántico se ciñe magistralmente a la andadura del soneto, son excepciones que nos remiten a un estilo concentrado o sentencioso), manera, por otra parte, ya presente en algunos poemas de *Invasión de la realidad,* la novedad de este ciclo poético y a su vez la novedad de *Las monedas contra la losa* con respecto a *Oda en la ceniza,* y por consiguiente, su más importante aporte a la *evolución* de la lírica de Carlos Bousoño, se encuentra sobre todo en la utilización de otras técnicas expresivas. Estas técnicas están motivadas, como acabamos de sugerir, por una nueva manera o tendencia de raíz analítica en la expresión; el autor ha explicado exhaustivamente la causa psicológica del nuevo estilo:

> (...) al fin, las dos actividades fundamentales de mi psique, que de algún modo andaban hasta la fecha como separadas y ajenas una de la otra (me refiero a mi tendencia emotiva y a la racional y analítica) rescindieron su hiato y saldaron su resquebrajadura. Por un lado, yo había sido el autor de *Teoría de la expresión poética* y de ciertos libros de crítica literaria; por otro, un poeta que lo fiaba todo, o casi todo, a la emoción con que un pensamiento lineal se enunciaba (...) sólo hacia los cuarenta años mi tendencia analítica se juntó definitivamente a mi capacidad emotiva y el encuentro o soldadura de una mitad y otra de mi ser produjo como resultado un nuevo estilo (...) Lo que insinúo (...) es (...) el hecho, perfectamente ortodoxo y hasta conveniente, de que el poeta que escribe versos que se desean exclusivamente poéticos *sea el mismo hombre* que como científico emite teorías que se desean exclusivamente verdaderas y válidas como tales. (...) Se trata de *una tendencia hacia lo exhaustivo,* un deseo de percepción meticulosa que no deje la menor porciúncula de realidad sin examen y consideración. (...)
>
> *(Poesía poscontemporánea,* "Ensayo de autocrítica", op. cit., págs. 187-188).

Las dos técnicas que responden fielmente a este deseo son la del análisis lógico de las irrealidades o, a la inversa, la del análisis irracional o simbólico de las realidades. Intentemos describirlas con el auxilio permanente del mismo autor que las ha explicado abundantemente.

Con "Análisis del sufrimiento" comienza en *Oda en la ceniza* el uso de la primera de las dos técnicas: se considera "en serio", como si de un "ensayo científico" —con calidad, por consiguiente, de metáfora o símbolo— se tratara, nada menos que una emoción. El poema, que intencionalmente se llama "*Análisis* del sufrimiento", comienza con un *dato,* "El cruel es un investigador de la vida" —V.1—, y aclara a propósito Carlos Bousoño:

> Estos comienzos poemáticos en que el poeta arroja o dispara sobre el lector, como acometiéndole, una afirmación puramente doctrinal, sirven, no sólo para sentar la base de la especialísima "metáfora" en que el poema consiste, sino también para establecer, ya desde su raíz, el tono, como de ensayo o tratado con que la entera composición va a ser enunciada. El desarrollo posterior, metafórico ya, del dicho ensayístico previo no destruye el acento aparentemente docto de que hablo, pues "desarrollar" el dicho consiste en tomarlo *como en serio* y sacar consecuencias *lógicas* de él. Claro está que esta lógica sólo lo es por modo puramente ilusorio. (...) Cuanto más lógico semeja ser el acerto, más irracional resulta de hecho la significación de éste. (...) Lo que importa, sin embargo, es la impresión de logicidad a que esta técnica nos lleva. (...)
>
> (Bousoño, Carlos: *Poesía poscontemporánea,* "Ensayo de autocrítica", op. cit., pág. 194).

El empleo de esta técnica en *Las monedas contra la losa* será aún más exhaustivo que en *Oda en la ceniza* (léase por ejemplo el extenso poema "Investigación del tormento" y las pertinentes explicaciones del autor en "Ensayo de autocrítica", op. cit., págs. 192-193), y constituirá una importante cuota de *evolución* en relación con el anterior poemario. Quizás sea ésta su más importante *novedad:* la poesía no parte ahora de un dato de la experiencia "sino que resulta de la *elaboración mental* y hasta, si podemos decirlo así, científica de ese mismo orden" ("Ensayo de autocrítica", pág. 194). Los títulos, los lemas tratan de orientar al lector debido a la audacia del procedimiento que, y hay que recalcarlo muy bien, es de una notable originalidad no sólo en la misma poesía de Bousoño sino fuera de ella: el autor, aunque tratando de disimular el hallazgo con una modestia que hace peligrar la objetividad de su exposición, cuando se ha referido a esta fórmula expresiva ha confesado rápidamente desconocer sus "claros antecedentes" ("Ensayo de autocrítica", pág. 193).

La forma analítica inversa procede por técnica acumulativa, por pormenorización o "pulverización": se trata ahora de la "investigación" irracional o simbólica de una realidad. Carlos Bousoño ha explicado el uso de este recurso tomando como ejemplo el poema "Era un poco de ruido" de *Las monedas contra la losa:*

(...) Se habla de una criatura humana, pero soñada en una perfección tan fuera de lo común que resulta en cierto modo redentora y como prometedora de una vaga salvación (...) esa realidad única (la criatura que digo) queda vista no en una sola de sus actitudes o cualidades, sino en una muchedumbre de ellas, cada una de las cuales se expresa a través de un símbolo diferente. Sólo pondré un breve ejemplo, de entre los innumerables que el poema nos brinda. Se habla de un cuerpo, el de esa criatura, en cuanto expresión de su alma, y se dice de él:

un cuerpo espléndido, metido en oros, o en lluvias,
*   o en atardeceres o en colinas,*
pero sobre todo en matutinas pronunciaciones,
en picudas revueltas.

Esa alma que el cuerpo está revelando (...) tiene en ciertos momentos belleza y resplandor como de oro ("metido en oros"); pero otras veces nos da la impresión de una como misteriosa tristeza superior (metido en "lluvias"), o bien de una bella languidez lenta (metido en "atardeceres"), o de una gran pureza e inocencia (metido en "colinas"); pero sentimos, sobre todo, ante él (...) la fuerza indomeñable de lo juvenilmente afirmativo (metido en "matutinas pronunciaciones") y hasta de lo agudamente revolucionario (metido en "picudas revueltas"). La pulverización analítica que vemos en tan corto fragmento extiéndalo el lector a la totalidad del poema, pues todo él se halla construido de esa guisa: no es, en su conjunto, otra cosa que un pormenorizado análisis. (...) (*Poesía poscontemporánea*, "Ensayo de autocrítica", op. cit., págs. 202-203).

Pasa inmediatamente Bousoño a considerar cómo en el uso de esta técnica de acumulación que intenta apresar todas las posibilidades de determinada realidad aparecen consecuentemente nexos de disyunción y hasta de oposición: "o", "o bien", "quizás", "o al revés" se encuentran en varios poemas, además del recién abordado "Era un poco de ruido"; entre ellos, "La feria", "Juan de la Cruz", "Sola", "Investigación de mi adentramiento en la edad", "Salvación en la música", "Desde todos los puntos y recodos y largas avenidas de mi existir", etc.

No olvidemos, para terminar de considerar lo relativo a las técnicas analíticas, que ellas conllevan una "vocación de particularismo y concreción que sella, muy centralmente, esta poética" ("Ensayo de autocrítica", op. cit., pág. 207). Ya hemos visto hasta qué punto junto al estilo más inasible hay desde el primer libro de Carlos Bousoño una tendencia a multiplicar en sus particularizaciones lo general y a concretizar lo abstracto. Bousoño ha estudiado estos fenómenos haciendo referencia a los poemas "Mientras en tu oficina respiras" (un solo hombre, en múltiples circunstancias, sirve para simbolizar al hombre genérico o universal); "Investigación de mi adentramiento en la edad" (la velocidad del crecimiento de la piel se traslada simbólicamente, con técnica de "enxemplo", a la de una carrera deportiva —Verso 8—) y "Salvación en la música" (la identificación con cada concreta y particular situación humana que la música simboliza —Versos 6 a 8, 9 y 10, y 11 a 13—), todos ellos pertenecientes a *Las monedas contra la losa*. Luego de citar los versos 24-25 de "Precio de la verdad" de *Oda en la ceniza* que aluden al amor mercenario ("Comprar por precio una reminiscencia de luz, / un encanto de amanecer, tras la colina, hacia el río."), Bousoño ha explicado este caso de concretización y particularización de este modo:

> (...) Llamar "luz" o "reminiscencia de luz" al amor responde al uso abstracto que es inherente a la tradición simbólica. Pero el poema no se satisface con tal uso. Inmediatamente, ese término, "luz", de enunciado genérico, se especifica en "encanto de amanecer"; y, por si esto no fuese suficiente, se llega en seguida a la intención individualizadora que supone, no ya situar el "amanecer" "tras" *una* "colina" y "hacia" *un* "río", sino, más aún, situarlo "tras *la* colina, hacia *el* río." (...) Tal es precisamente, el sentido que en mis dos libros últimos, posee, si no me engaño, el empleo del artículo determinado en casos en que, como aquí, se utilizaría, normalmente, el indeterminado. Y en efecto, se trata de aproximarse lo más posible a la completa determinación.

> ("Ensayo de autocrítica", op. cit., pág. 212).

Las técnicas analíticas con sus acumulaciones, particularizaciones y concreciones, los entrecruzamientos verbales, los juegos espacio-temporales, las más insólitas asociaciones, en fin, la sorpresa incesante del último lenguaje de Carlos Bousoño no quedaría suficientemente explicitada si no hiciéramos alusión a lo que constituye otra *novedad* fundamental de *Las monedas contra la losa:* el desarrollo independiente del plano imaginario en metáforas o metáforas simbólicas. El recurso, sólo sugerido en *Oda en la ceniza* (véanse los versos 1-2 de "El mundo está bien hecho") es abundantísimo en el siguiente título. Entre los numerosos ejemplos que podríamos citar, anotemos algunos singularmente resaltantes: "Investigación del tormento" (versos 2 a 5 y 72 a 76); "Letanía para decir cómo me amas" (versos 23 a 27); "Investigación de mi adentramiento en la edad" (versos 4 a 6 y 10 a 12) y "Desde el borde de un libro" (versos 42 a 53). Al "enlace con la tradición mediata irracional" que el mismo Bousoño analiza en su "Ensayo de autocrítica" (véanse págs. 216 a 221), *Las monedas contra la losa* aporta un hasta ahora inusual atrevimiento en las correspondencias imaginativas y sus desplazamientos independientes, "rápidos como pieles de conejo". En "Letanía para decir cómo me amas" se acumulan y enumeran todas las posibilidades desde las que pueden querernos, que son, en suma, el ser completo que nos ama:

> ....
> con la tormenta, el aguacero, el relámpago,
> la mojadura bajo los árboles, el ventarrón de otoño,
> las hojas y las horas y los días,
> rápidos como pieles de conejo,
> como pieles y pieles de conejo, que con afán corriesen
>   incansables, con prisa,
> hacia un sitio olvidado, un sitio inexistente, un día
>   que no existe,
> un día enorme que no existe nunca, vaciado y atroz
> (vaciado y atroz como cuenca de ojo, saltado y estallado
>   por una mano vil);
>
> (VV. 20 a 27).

Se nos ha invitado a seguir una muy particularizada y concreta carrera fantástica: el término real "días" nos remite, por la idea de rapidez, a las "pieles de conejo" e inmediatamente desaparece; pues de ahora en más son ellas, las "pieles", las que nos conducen a un "sitio inexistente", e inmediatamente es éste, por asociación con el vacío, el que nos lleva hasta una atroz "cuenca de ojo", con las respectivas cargas imaginativas que cada término conlleva: desarrollos independientes concatenados que han olvidado el punto de partida.

Así, igual que ese ojo "saltado y estallado" en miles de trozos y trazos inverosímiles e innumerables, se perfila el lenguaje de *Oda en la ceniza* y *Las monedas contra la losa*. Pero no se trata de una clase de retórica: Carlos Bousoño es un "poeta auténtico" (como se lo propuso desde sus trece años); al permanecer fiel a sí mismo y a su tiempo, ha podido volver a responder, ahora desde la sorprendente aventura de su última palabra, a la misma patética pregunta por nuestra realidad que se formula desde sus primeros versos. *Identidad* y *evolución* son las claves de su más reciente "naufragio esplendoroso" ("En un día sin nubes", *Noche del sentido*), las luces de su más genuino y "aciago resplandor" ("En este mundo fugaz", *Oda en la ceniza*)[28].

IRMA EMILIOZZI

---

[28] Ya impresa la presente edición, ha aparecido el último libro de poemas de Carlos Bousoño, *Metáfora del desafuero* (ver *Noticia bibliográfica*), anteriormente anunciado por su autor con el título de *La fábula y el estertor*. Las páginas precedentes pueden servir de adecuado preámbulo a esta reciente y polifacética entrega de Carlos Bousoño.

NOTICIA BIBLIOGRÁFICA

A) POESÍA

1) Libros de poesía

Subida al amor "(Salmos sombríos. Salmos puros)", Edit. Hispánica, Colección Adonais XVI, Madrid, 1945.

Primavera de la muerte, prólogo de Vicente Aleixandre, Edit. Hispánica, Colección Adonais XXIX, Madrid, 1946.

Hacia otra luz (Subida al amor. Primavera de la muerte. En vez de sueño), Ínsula, Colección Ínsula 11, Madrid, 1952.

Noche del sentido, Ínsula, Colección Ínsula 31, Madrid, 1957.

Poesías completas. "Primavera de la muerte", Encuentro de Vicente Aleixandre, Ediciones Giner, Orfeo II, Madrid, 1960.

Invasión de la realidad, Espasa-Calpe, Madrid, 1962.

Oda en la ceniza, Ciencia Nueva, Colección El Bardo 35, Madrid, 1967. (Hay una segunda edición, ídem ant., de 1968, además de una, aún posterior, conjunta. *Oda en la ceniza. Las monedas contra la losa,* Edit. Losada, Biblioteca Clásica y Contemporánea, Buenos Aires, 1975).

Las monedas contra la losa, Alberto Corazón, Colección Visor de Poesía 34, Madrid, 1973. (Existe la edición junto a *Oda en la ceniza* citada precedentemente).

Metáfora del desafuero, Visor, Colección Visor de Poesía —CCXXI—, Madrid, 1988.

2) Antologías personales

La búsqueda, Fomento de Cultura Ediciones, Suplementos de Hontanar —I—, Valencia, 1971. (Existe una segunda edición

—Edit. Prometeo, Valencia, 1978—, que acompaña a *Sonido de la guerra* de Vicente Aleixandre). Se trata, en su primera edición, y así se repite en la conjunta, de la publicación de cuatro poemas —"La búsqueda", "Letanía para decir cómo me amas", "Elucidación de una muerte", "Siéntate con calma en esta silla"— que luego integrarían la edición definitiva (1973) de *Las monedas contra la losa*.

Antología poética. 1945-1973, Plaza Janés, Colección Selecciones de Poesía Española, Barcelona, 1976. (Contiene introducción del autor: "Ensayo de autocrítica").

Selección de mis versos, ed. del autor, Edit. Cátedra, Colección Letras Hispánicas 118, Madrid, 1980. (Existe una segunda edición, ídem, 1982).

Carlos Bousoño. Teoría de la cultura y de la expresión poética. Antología de textos y poemas, Anthropos, Suplementos, 3, Antologías temáticas, Barcelona, 1987.

3) *Antologías*

Al mismo tiempo que la noche, ed. de Angel Caffarena, Librería Anticuaria El Guadalhorce, Colección Cuadernos de María Isabel 24, Málaga, 1971.

Carlos Bousoño, introducción, selección y bibliografía de Enrique Baena, Diputación Provincial de Málaga, 1986.

B) TEORÍA Y CRÍTICA LITERARIAS

1) *Libros de Teoría y Crítica literarias*

La poesía de Vicente Aleixandre, prólogo de Dámaso Alonso, Ínsula, Madrid, 1950. (A partir de 1956, ha sido publicado por Editorial Gredos, Madrid, Colección Biblioteca Románica Hispánica, II, Estudios y Ensayos, 27, 1.ª ed.: 1956. 2.ª ed.: 1968. 3.ª ed. aumentada: 1977).

Seis calas en la expresión literaria española (Prosa-Poesía-Teatro), en colaboración con Dámaso Alonso, Edit. Gredos, Biblioteca Románica Hispánica, II, Estudios y Ensayos, 3, Madrid, 1951. (4.ª ed.: 1970. Reimp.: 1979).

Teoría de la expresión poética, Edit. Gredos, Biblioteca Románica Hispánica, II, Estudios y Ensayos, 7, Madrid, 1952. (7.ª ed., dos volúmenes, 1985).

El irracionalismo poético. (El símbolo), Edit. Gredos, Biblioteca Románica Hispánica, II, Estudios y Ensayos, 271, Madrid, 1977. (2.ª ed.: 1981.)

Superrealismo poético y simbolización, Edit. Gredos, Biblioteca Románica Hispánica, II, Estudios y Ensayos, 288, Madrid, 1979.

Epocas literarias y evolución, Edit. Gredos, Biblioteca Románica Hispánica, II, Estudios y Ensayos, 311, Madrid, 1981.

Poesía poscontemporánea. "Cuatro estudios y una introducción", Ediciones Júcar, Los Poetas —Serie Mayor— 4, Madrid, 1985.

2) *Artículos, discursos, conferencias publicadas y prólogos más importantes de teoría y crítica literarias*

"*En la muerte de Miguel Hernández* de Vicente Aleixandre", *Ínsula,* Madrid, Año III, Núm. 29, mayo de 1948, pág. 5.

"Vicente Aleixandre, académico", *Clavileño,* Madrid, Año I, Núm. 1, enero-febrero, 1950, págs. 63-64.

"Un nuevo libro de Aleixandre: *Mundo a solas", Ínsula,* Madrid, Año V, Núm. 53, mayo de 1950, págs. 2 y 7.

"La poesía de Blas de Otero", *Ínsula,* Madrid, Año VI, Núm. 71, noviembre de 1951, pág. 2. (Reimpreso en *Ínsula,* Madrid, Año XLIII, Núm. 499-500, junio-julio-agosto 1988, pág. 34).

"La poesía poscontemporánea y el gran público", *Índice de Artes y Letras,* Madrid, Año 8, Núm. 59, enero de 1953, pág. 17.

"Sobre *Historia del corazón* de Vicente Aleixandre", *Ínsula,* Madrid, Año IX, Núm. 102, junio de 1954, págs. 3 y 10. (Reimpreso en *Ínsula,* Madrid, Año XLIII, Núm. 499-500, junio-julio-agosto de 1988, págs. 21 y 22).

"La poesía como género literario", *Papeles de Son Armadans,* Palma de Mallorca, Año I, T. II, Núm. 4, julio de 1956, págs. 32-37.

"Obra poética de Julio Maruri", *Ínsula,* Madrid, Año XII, Núm. 132, noviembre de 1957, pág. 5.

"La percepción del tiempo", *Ínsula,* Madrid, Año XIII, Núm. 154, enero de 1958, págs. 1 y 12.

"La poesía de Dámaso Alonso", *Papeles de Son Armadans,* Palma de Mallorca, Año III, T. XI, Núms. 32-33, noviembre-diciembre de 1958, págs. 256-300.

"El término *gran poesía* y la poesía de Vicente Aleixandre", *Papeles de Son Armadans*, ídem ant., págs. 245-255. Reelaborado con el título "The greatness of Aleixandre's poetry", *Revista de Letras*, Universidad de Puerto Rico en Mayagüez, Núm. 22, junio de 1974.

"Sentido de la poesía de Vicente Aleixandre", prólogo a Aleixandre, Vicente: *Poesías completas*, Edit. Aguilar, Madrid, 1.ª ed., 1960, págs. 11 a 44. (Ampliado, con el mismo título, para la 2.ª ed. —*Obras completas*— de Vicente Aleixandre, ídem ant., 1968. Repetido en 3.ª ed., 1977).

"Notas sobre un poema de Miguel Hernández: *Antes del odio*", *Cuadernos de Agora*, Núms. 49-50, Madrid, 1960.

"La poesía de Vicente Gaos", *Papeles de Son Armadans*, Año V, T. XIX, Núm. 55, Palma de Mallorca, octubre de 1960, págs. 75-100.

"Carta abierta a José María Castellet", *Ínsula*, Año XVI, Núm. 170, enero de 1961, pág. 15. (Reimpreso en *Ínsula*, Madrid, Año XLIII, Núms. 499-500, junio-julio-agosto de 1988, pág. 36).

"Carlos Bousoño nos habla de poesía", *Ínsula*, Madrid, Año XVI, Núm. 172, marzo de 1961, pág. 5.

"La poesía de José Ángel Valente y el nuevo concepto de originalidad", *Ínsula*, Madrid, Año XVI, Núm. 174, mayo de 1961, págs. 1 y 14.

"En torno a una ley de la poesía", *Ínsula*, Madrid, Año XVII, Núm. 182, enero de 1962, págs. 1 y 10.

"Nuevas ideas sobre la comunicación en poesía", *Papeles de Son Armadans*, Palma de Mallorca, Año VII, T. XXV, Núm. 73, abril de 1962, págs. 9-47.

"Materia como historia (El nuevo Aleixandre)", *Ínsula*, Madrid, Año XVIII, Núm. 194, enero de 1963, págs. 1-12-13.

"Poesía contemporánea y poesía poscontemporánea", *Papeles de Son Armadans*, Palma de Mallorca, Año IX, T. XXXIV, Núm. 101, agosto de 1964, págs. 121-184. (Va como Apéndice I, en Bousoño, Carlos: *Teoría de la expresión poética*, a partir de ed. 1966. Ver 1) *Libros de teoría y crítica literarias*).

"La sugerencia en la poesía contemporánea", *Revista de Occidente*, Madrid, —2.ª época—, T. VII, Núm. 20, noviembre de 1964, págs. 188 a 208.

"Cosmovisión simbólica y cosmovisión realista en Aleixandre", *Destino*, Barcelona, Núm. 1.599, 25 de mayo de 1968, págs. 36-37.

"Una época en los personajes", *Papeles de Son Armadans*,

Palma de Mallorca, Año XIV, Núm. 158, mayo de 1969, págs. 143-172.

"Arte y moral", *Revista de Occidente,* Madrid, —2.ª época—, T. XXVI, Núm. 77, agosto de 1969, págs. 159-175.

"Un ensayo de estilística explicativa (Ruptura de un sistema formado por una frase hecha)", en *Homenaje universitario a Dámaso Alonso,* Gredos, Madrid, 1970, págs. 69-84.

"Significación de los géneros literarios", *Ínsula,* Madrid, Año XXV, Núm. 281, abril de 1970, págs. 1-14-15.

"La poesía de Claudio Rodríguez", prólogo a Rodríguez, Claudio: *Antología poética,* Plaza Janés, Colección Selecciones de Poesía Española, Barcelona, 1971. (Se recoge en Bousoño, Carlos: *Poesía Poscontemporánea.* "Cuatro estudios y una introducción", op. cit., Ver 1), *Libros de teoría y crítica literarias).*

"Unas líneas de introducción" a Trakl, Georg: *Cantos de muerte.* "Antología de poemas", Selección, traducción y estudio previo de Angelika Becker, Introducción de Bousoño, Carlos: Al-Borak Ediciones, Madrid, 1972.

"En torno a *Malestar y noche,* de García Lorca", en *El comentario de textos,* Edit. Castalia, Colección Literatura y Sociedad —I—, Madrid, 1973, págs. 305-342.

"El impresionismo poético de Juan Ramón Jiménez (Una estructura cosmovisionaria)", *Cuadernos Hispanoamericanos,* Vol. 94, Núms. 280-282, Madrid, octubre-diciembre de 1973, págs. 508-540.

"Situación y características de la poesía de Francisco Brines", prólogo a Brines, Francisco: *Poesía 1960-1971,* introducción de Carlos Bousoño, Plaza Janés, Colección Selecciones de Poesía Española, Barcelona, 1974, págs. 9-94. Se recoge, muy parcialmente modificado, en Bousoño, Carlos: *Poesía poscontemporánea.* "Cuatro estudios y una introducción", op. cit., Ver 1), *Libros de teoría y crítica literarias.*

"Ensayo de autocrítica", prólogo a Bousoño, Carlos: *Antología poética (1945-1973),* Plaza Janés, Colección Selecciones de Poesía Española, Barcelona, 1976. (Se recoge, muy parcialmente modificado en Bousoño, Carlos: *Poesía poscontemporánea.* "Cuatro estudios y una introducción", op. cit., Ver 1), *Libros de teoría y crítica literaria.* Ha sido abreviado y parcialmente reelaborado como introducción a Bousoño, Carlos: *Selección de mis versos,* op. cit. Ver A) *Poesía.* 2) *Antologías personales.*

"La estética de Ortega: notas de controversia", *Cuadernos*

Hispanoamericanos, Vol. 108, Núms. 322-323, abril-mayo de 1977, págs. 53-77.

"Como los ángeles de Santo Tomás", en "Homenaje a la generación del 27", *El Ciervo,* Barcelona, Año XXV, Núms. 306-307, segunda quincena abril-primera mayo de 1977, pág. 33.

"Nueva interpretación de *Cántico* de Jorge Guillén (El esencialismo juanramoniano y el guilleniano)", en *Homenaje a Jorge Guillén,* Ínsula-Wellesley College, Madrid-Wellesley, 1978.

"Las técnicas irracionalistas de Aleixandre", *Ínsula,* Año XXXIII, Núms. 374-375, enero-febrero de 1978, págs. 5 y 30 (Reimpreso en *Vicente Aleixandre: A critical appraisal,* Bilingual Press, Ypsilanti-Michigan, 1981. También en *Trent'anni di avanguardia spagnola.* "Da Ramón Gómez de la Serna a Juan-Eduardo Cirlot", a cura di Gabriele Morelli, Editoriale Jaca Book, Edizione Universitarie Jaca 35, Milano, 1978).

"La poesía de Guillermo Carnero", prólogo a Carnero, Guillermo: *Ensayo de una teoría de la visión.* "Poesía 1966-1977", Estudio preliminar de Carlos Bousoño, Hiperión, Colección Poesía Hiperión 16, 1979. (Existe una segunda edición, de 1983.) Se recoge, mínimamente modificado en Bousoño, Carlos: *Poesía poscontemporánea.* "Cuatro estudios y una introducción", op. cit. Ver 1, *Libros de teoría y crítica literarias.*

Sentido de la evolución de la poesía contemporánea en Juan Ramón Jiménez, Real Academia Española, Madrid, 1980. Discurso leído el día 19 de octubre de 1980 en su recepción pública, por el Excmo. Sr. don Carlos Bousoño Prieto y contestación del Excmo. Sr. don Gonzalo Torrente Ballester. (Págs. 7 a 68: Discurso de don Carlos Bousoño Prieto. Págs. 71 a 87: Contestación de don Gonzalo Torrente Ballester).

Reflexiones sobre mi poesía, Escuela Universitaria de Formación del Profesorado de EGB "Santa María", Universidad Autónoma, Madrid, 1984, 30 págs. (Conferencia pronunciada el día 23 de noviembre de 1983 en la citada Escuela Universitaria).

"Los retratos de Vaquero Turcios", presentación a Vaquero Turcios, Joaquín: *Retratos,* Fundación Santillana, Torre de Don Borja, Santillana del Mar, Cantabria, noviembre 1982-enero 1983.

"Rostro muerto. (En la muerte de Vicente Aleixandre)", *El*

País, Madrid, Año IX, núm. 2.816, 15 de diciembre de 1984, pág. 26.

"Poscontemporáneo. (Volver a leer *Sombra del paraíso* de Vicente Aleixandre)", *El País,* Madrid, Año IX, Núm. 2.817, Supl. "Libros" —Núm. 269, pág. 12—, 16 de diciembre de 1984.

"Sentido de los heterónimos de Fernando Pessoa", *ABC,* Madrid, 30 de noviembre de 1985.

"Sobre García Lorca", *ABC,* Madrid, 17 de agosto de 1986.

"Generación del 27: Aleixandre y Neruda", en *Las relaciones literarias entre España e Iberoamericana,* Madrid, Ediciones Universidad Complutense, 1987, págs. 29 a 47.

"Autobiografía intelectual", en *Anthropos,* Barcelona, Núm. 73, junio de 1987, págs. 15 a 20.

"Aleixandre desde hoy", *ABC,* Madrid, 26 de octubre de 1987.

BIBLIOGRAFÍA SELECTA

Aleixandre, Vicente: "Adolescencia y muerte", prólogo a Carlos Bousoño: *Primavera de la muerte,* Edit. Hispánica, Adonais XXIX, Madrid, 1946.

——, "Carlos Bousoño sueña el tiempo", en Alcixandre, Vicente: *Los encuentros,* Guadarrama, Madrid, 1958. (Después de dos ediciones, 1959 y 1977, el libro alcanza su edición aumentada y definitiva, con prólogo de José Luis Cano, ilustraciones de Ricardo Zamorano, Espasa-Calpe, Selecciones Austral, Madrid, 1985. El libro ha pasado además a formar parte de las *Obras Completas* de Vicente Aleixandre, a partir de la segunda edición de Aguilar, Madrid, 1968).

Alperi, Víctor y Molla, Juan: *Carlos Bousoño en la poesía de nuestro tiempo,* Alsa, Oviedo, 1987, 256 págs.

Amorós, Amparo: "Luis Cernuda y la poesía española posterior a 1939", en *Entre la cruz y la espada: En torno a la España de posguerra. Homenaje a Eugenio G. de Nora,* Edit. Gredos, Madrid, 1984, págs. 19 a 31.

——, "El esplendor de la ceniza", en *Anthropos,* Barcelona, Núm. 73, junio de 1987, Secc. Información Bibliográfica y Documentación Cultural, págs. III y IV.

Anthropos, Barcelona, Núm. 73, junio de 1987. (Editorial, Autor-Tema Monográfico. La primera parte de Información bibliográfica y Documentación cultural están dedicados a la vida y obra de Carlos Bousoño).

Berasategui, Blanca: "Carlos Bousoño, refinado y dinamitero", semblanza y entrevista en *ABC,* Madrid, Sábado Cultural, págs. VIII y IX, 11 de septiembre de 1982.

Bleiberg, Germán: *"Seis calas en la expresión literaria española", Clavileño,* Madrid, Año II, Núm. 11, septiembre-octubre de 1951.

Bonelli, G.: "L'estetica crociana e la poetica di Carlos Bousoño", *Revista di studi Croceani,* Napoli, Anno XI, fasc. IV, 1974; Anno XII, fasc. I-III, 1975.

Brines, Francisco: "Carlos Bousoño: Una poesía religiosa desde la incredulidad", *Cuadernos Hispanoamericanos,* Madrid, Núms. 320-321, febrero y marzo de 1977, págs. 221 a 248.

Cano, José Luis: "Carlos Bousoño", en *Poesía española del siglo XX. De Unamuno a Blas de Otero,* Madrid, Guadarrama, Colección Guadarrama de Crítica y Ensayo 28, 1960, págs. 469-482.

——, "Seis notas sobre la poesía de Carlos Bousoño" en *Poesía española contemporánea. Generaciones de posguerra,* Guadarrama, Colección Punto Omega 170, Madrid, 1974, págs. 58 a 92.

——, *"Primavera de la muerte", Ínsula,* Madrid, Año I, Núm. 7, julio de 1946, pág. 6.

——, *"Seis calas en la expresión literaria española", Ínsula,* Madrid, Año VI, Núm. 69, septiembre de 1951, págs. 4 y 5.

——, *"Teoría de la expresión poética", Ínsula,* Madrid, Año VIII, Núm. 79, julio de 1952, págs. 6 y 7.

——, *"Hacia otra luz:* La poesía de Carlos Bousoño", *Ínsula,* Madrid, Año VIII, Núm. 85, enero de 1953, págs. 6 y 7.

——, "Carlos Bousoño: *Noche del sentido", Ínsula,* Madrid, Año XII, Núm. 122, enero de 1957, págs. 6 y 7.

——, "Carlos Bousoño y sus *Poesías completas", Ínsula,* Madrid, Año XVI, Núm. 179, octubre de 1961, págs. 8 y 9.

——, *"Invasión de la realidad* de Carlos Bousoño", *Ínsula,* Madrid, Año XXIII, Núm. 197, abril de 1963, págs. 8 y 9.

——, "Un nuevo libro de Carlos Bousoño: *Oda en la ceniza", Ínsula,* Madrid, Año XXIII, Núm. 255, febrero de 1968, págs. 8 y 9.

——, "Carlos Bousoño: *Las monedas contra la losa", Ínsula,* Madrid, Año XXVIII, Núm. 319, junio de 1973, págs. 8 y 9.

Carnero, Guillermo: "Bousoño y la lógica de la historia literaria", *El País,* Madrid, Supl. Libros, 8 de agosto de 1982, pág. 5.

——, "Teoría creativa y creatividad teórica", *Informaciones,* Madrid, Núm. 17.173, 24 de marzo de 1977. Supl. de las Artes y las Letras, Núm. 454, págs. 6 y 7.

——, "Primera visión teórica del superrealismo", *Informaciones,* Madrid, Núm. 17.934, 6 de septiembre de 1979. Supl. de las Artes y las Letras, Núm. 580, págs. 1 y 2.

Debicki, Andrew P.: *Poesía del conocimiento*. "La generación española de 1956-1971", Traducción de Alberto Cardín, Ediciones Júcar, Los Poetas —Serie Mayor— 9, Madrid, 1986. (Se recomienda la lectura del primer capítulo: "La generación de 1956-1971", págs. 15 a 54.)

Delgado, F. G.: "Carlos Bousoño, teórico del símbolo", *Ínsula*, Madrid, Año XXXIII, Núm. 384, noviembre de 1978, págs. 1, 15 y 16.

Díaz de Castro, Francisco J. y María Payeras Grau: "Madurez poética y conciencia del ser en *Oda en la ceniza*", en *Anthropos*, Núm. 74, op. cit., Secc. Información Bibliográfica y Documentación Cultural, págs. I y II.

Duque Amusco, Alejandro: "Carlos Bousoño: Hacia una ciencia del espíritu", *Ínsula*, Madrid, Año XXXVI, Núm. 420, noviembre de 1981, págs. 1, 12 y 13.

——, "Bibliografía dialogada", en *Anthropos*, Núm. 73, op. cit., págs. 21 a 30.

——, "Carlos Bousoño: una obra unitaria", en *Anthropos*, Núm. 73, op. cit., págs. 37 a 39.

Facundo, Ana María: "La poesía de Carlos Bousoño. Entre el ser y la nada", *Ínsula*, Madrid, Año XXIV, Núm. 274, septiembre de 1969, págs. 1 y 12.

Fortuño Llorens, S.: *La obra poética de Carlos Bousoño*, Universitat de Barcelona, Barcelona, 1982, 45 págs.

——, "Poética y poesía de Carlos Bousoño", *Los cuadernos del Norte*, Año IV, Núm. 21, septiembre-octubre, 1983, págs. 84-89.

García Martín, José Luis: *La segunda generación de posguerra*, Excma. Diputación Provincial, Colección Rodríguez-Moñino —Núm. 5—, Badajoz, 1986. (Ver "La polémica con Bousoño", págs. 73 a 87.)

Gimferrer, Pedro: *"Las monedas contra la losa"*, Destino, Barcelona, Núm. 1.857, 5 de mayo de 1973, págs. 47-48.

Olivio Jiménez, José: "Realidad y tiempo en la poesía de Carlos Bousoño", en *Cinco poetas del tiempo*, Ínsula, Madrid. 2.ª ed. aumentada, 1972, págs. 327 a 415. (1.ª ed. del libro: 1964.)

——, "Verdad, símbolo y paradoja en *Oda en la ceniza* (1967), de Carlos Bousoño", en *Diez años de poesía española (1960-1970)*, Ínsula, Madrid, 1972, págs. 243 a 279. (En este libro se recogen, con leves modificaciones, páginas pertenecientes a *Cinco poetas del tiempo*, como el mismo José Olivio Jiménez aclara, con el título de: *"Invasión de la realidad* [1962] en la poesía de Carlos Bousoño", págs. 33 a 60).

——, "Un nuevo libro de Carlos Bousoño (Sobre la cuarta edición de *Teoría de la expresión poética)*", *Ínsula,* Año XXII, Núm. 250, septiembre de 1967, págs. 3 y 10.

——, "Plenitud crítica e intelectual en Carlos Bousoño", *Ínsula,* Madrid, Año XXVI, abril de 1971, Núm. 293, págs. 1 y 13.

——, *"Las monedas contra la losa"* en *Plural,* México, Núm. 46, julio de 1975, págs. 59 a 61.

——, "Carlos Bousoño y sus reflexiones sobre el símbolo poético y la simbolización", *Ínsula,* Madrid, Año XXXIII, Núm. 384, noviembre de 1978, págs. 1 y 14.

——, "El mundo negado, recuperado: La poesía de Carlos Bousoño", Alaluz, University of California-Riverside. Año XIII, Núm. 2, otoño 1981. Año XIV, Núm. 1, primavera de 1982.

Ley, Charles D.: "Carlos Bousoño", en *Spanisch Poetry since 1939,* The Catholic University of America Press, Washington, 1962, cap. 4, págs. 77-90.

López Gorgé, Jacinto: *Poesía amorosa. Antología,* Alfaguara, Madrid-Barcelona, 1967.

Luis, Leopoldo de: *"Hacia otra luz",* en *Poesía española,* Madrid,, Núm. 12, diciembre de 1952, pág. 26.

——, "La poesía de Carlos Bousoño", *Papeles de Son Armadans,* Palma de Mallorca, Año VII, T. XXIV, Núm. 71, febrero de 1962, págs. 197 a 209.

Mantero, Manuel: "El tema de España en la poesía de Carlos Bousoño", *Cuadernos de Agora,* Madrid, Núm. 46-48, 1960, págs. 30-35.

——, *"Invasión de la realidad",* en *Cuadernos de Agora,* Madrid, Núm. 75-78, 1963.

Molina, Antonio: *Poesía cotidiana. Antología,* Alfaguara, Madrid-Barcelona, 1966.

Morales, Rafael: *"La poesía de Vicente Aleixandre",* Cuadernos Hispanoamericanos, Madrid, T. X, Núm. 28, abril de 1952, págs. 115-116.

——, "La ruptura del sistema lógico en la teoría poética de Carlos Bousoño", en *Anthropos,* Barcelona, Núm. 73, op. cit., págs. 43 a 50.

Peña, Pedro J. de la: "Carlos Bousoño", *Anthropos,* Barcelona, Núm. 73, op. cit., Información Bibliográfica y Documentación Cultural, págs. IV y V.

Pereda, Rosa M.ª: "Carlos Bousoño: El lenguaje-agonía", *Camp de l'Arpa*, Barcelona, Núm. 14, noviembre de 1974, págs. 26-28.

——, "Ningún verdadero escritor escribe para ser académico", *El País*, Madrid, Año V, Núm. 1.387, 19 de octubre de 1980 —Sup. Libros, año II, Núm. 52, págs. 1-7.

Ribes, Francisco: *Antología consultada de la joven poesía española* (Edic. Facsimilar de la realizada en 1952), Preliminar de Josefina Escolano, Editorial Prometeo, Valencia, 1983, págs. 21 a 39.

Siebenmann, Gustav: *Los estilos poéticos en España desde 1900*, versión española de Angel San Miguel, Editorial Gredos, Biblioteca Románica Hispánica, II —Estudios y Ensayos— 183, 1973. Ver Caps. IX, XV. Págs. 460-463: estudio de "Salvación de la vida" de *Invasión de la realidad*.

Siles, Jaime: *Diversificaciones*, Fernando Torres Editor, Valencia, 1982. IX: "Vicente Gaos (1919-1980)". Pág. 140.

——, "La poesía de Carlos Bousoño: notas para una lectura interna y transversal", en *Anthropos*, Barcelona, Núm. 73, op. cit., págs. 39 a 42.

Tomsich, María G.: "Temas-símbolos, elementos de ligazón en la poesía de Carlos Bousoño", *Rev. de Est. Hispánicos*, The University of Alabama Press, Vol. V, Núm. 2, mayo de 1971.

Umbral, Francisco: "*Oda en la ceniza* de Carlos Bousoño", *Poesía Española*, Madrid, Núm. 182, febrero de 1968, págs. 5-7.

Urrutia, Jorge: "Lengua poética y asentimiento desde la teoría de Carlos Bousoño", en *Anthropos*, Barcelona, Núm. 73, op. cit., págs. 33 a 36.

Valente, José Angel: "*Seis calas en la expresión literaria española*", en *Cuadernos Hispanoamericanos*, Madrid, Vol. IX, Núm. 26, febrero de 1952.

——, "Conversación con Bousoño, premio Fastenrath de crítica literaria", *Índice de Artes y Letras*, Madrid, Año 8, Núm. 62, abril de 1953, Supl. —Libros—, pág. 3.

Villa-Fernández, P.: "Dios, España y agonía en la poesía de Carlos Bousoño", *Revista de Estudios Hispánicos*, The University of Alabama Press, Vol. V., Núm. 1, enero de 1971.

Villar, Arturo del: "Carlos Bousoño", *La estafeta literaria*, Madrid, Núm. 540, mayo de 1974, págs. 12-15.

Villena, Luis Antonio de: "Poesía y autorreflexión en Carlos Bousoño", *Ínsula*, Madrid, Año XXXII, núm. 373, diciembre de 1977, págs. 1 y 10. (Reimpreso en *Ínsula*, Madrid, Núms. 499-500, op. cit., págs. 35 y 36).

NOTA PREVIA

Todos los criterios que se han seguido para la presentación completa y depurada de los poemas de *Oda en la ceniza* y *Las monedas contra la losa* han tenido un solo objetivo: acercar al lector la versión definitiva de ambos libros. Para ello, siempre hemos recurrido al texto último, a veces modificado o reelaborado por el autor; recién desde esta reedición hemos abordado su versión pretérita, casi indefectiblemente la de la edición *princeps:* de las variantes más importantes damos cabal noticia en las notas a textos, así como de cualquier excepción de incidencia.

En estos casos hemos contado con el asesoramiento de Carlos Bousoño, quien además ha indicado algunas nuevas modificaciones para esta edición, las que también se señalan oportunamente.

I. E.

AGRADECIMIENTO

Quiero hacer presente mi agradecimiento a Carlos Bousoño y a su señora esposa, Ruth Crespo, quienes me facilitaron, con su atención y amabilidad, mi tarea en Madrid.

I.E.

SIGLAS DE LA OBRA DE CARLOS BOUSOÑO
UTILIZADAS EN LA PRESENTE EDICIÓN

O. en la C. (*Oda en la ceniza,* Ciencia Nueva, Colección El Bardo 35, Madrid, 1967. La sigla *O. en la C.* evita la eventual confusión con *O.C.* —*Obras Completas*—, lectura habitual de esta última).

M.L. (*Las monedas contra la losa,* Alberto Corazón, Colección Visor de Poesía 34, Madrid, 1973).

A.P. (*Antología Poética. 1945-1973,* Plaza Janés, Colección Selecciones de Poesía Española, Barcelona, 1976).

S.V.(*Selección de mis versos,* ed. del autor, Editorial Cátedra, Colección Letras Hispánicas 118, Madrid, segunda edición, 1982).

P.P. (*Poesía Poscontemporánea.* "Cuatro estudios y una introducción", Júcar, Colección Los Poetas, Serie mayor 4, 1984).

S.A. (*Subida al amor* "[Salmos sombríos. Salmos puros]", Editorial Hispánica, Adonais XVI, Madrid, 1945).

P.M. (*Primavera de la muerte,* prólogo de Vicente Aleixandre, Editorial Hispánica, Adonais XXIX, Madrid, 1946).

N.S. (*Noche del sentido,* Ínsula, Col. Ínsula 31, Madrid, 1957).

I.R. (*Invasión de la realidad,* Espasa-Calpe, Madrid, 1962).

B. (*La búsqueda,* Fomento de Cultura Ediciones, Suplementos de Hontanar, I, Valencia, 1971).

T.N. (*Al mismo tiempo que la noche,* ed. de Angel Caffarena, Librería Anticuaria El Guadalhorce, Col. Cuadernos de María Isabel 24, Málaga, 1971).

A JOSÉ HIERRO *

* Recién en *S.V.* aparece la dedicatoria general "A José Hierro", a la que Carlos Bousoño confiere aquí carácter definitivo. En la ed. *princeps,* se había dedicado al poeta amigo "Salvación del amor" —*O. en la C.,* págs. 65-66—, mención que se elimina en aras de la dedicatoria general.

ODA EN LA CENIZA

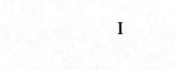

I

SALVACIÓN EN LA PALABRA

(El poema)

A Jorge Guillén

1

Dejad que la palabra haga su presa lóbrega,
se encarnice en la horrenda miseria
primaveral, hoce el destino, cual negra teología
corrupta.
      Súbitas, algunas formas mortales,
dentro del soplo de aire   5
permanente e invicto.
La palabra del hombre, honradamente
pronunciada, es hermosa, aunque oscura,
es clara, aunque aprisione
el terror venidero.   10
Hagamos entre todos la palabra
grácil y fugitiva que salve el desconsuelo.

---

vv. 3-4: La poesía es "negra teología corrupta" pues se ocupa del
"negro" destino humano (v. 1: "su presa lóbrega"; vv. 2-3: "la
horrenda miseria primaveral", con la dualidad "primavera-muerte" u
"oda-ceniza" ya formulada). El ámbito de la palabra es la realidad:
"He aquí la fuerza que aspiró a ser cielo / y sólo es realidad" ("Mi
verdad", *I.R.,* pág. 127). Por consiguiente la "salvación" es ilusoria y
la cultura (la poesía en este caso), las costumbres, las cosas, todo lo
que dura más que la vida humana se transforma en "melancólicos
sustitutivos del Dios inexistente" (Ver *P.P.,* págs. 163 y 168, e
Introducción, pág. 38).

vv. 12-13: No hay espacio interestrófico en *A.P.* y *S.V.* Aquí se respeta
ed. *princeps* (indicación del autor).

...Como burbuja leve la palabra
se alza en la noche, y permanece
cual una estrella fija entre las sombras.   15

2

Y así fue la palabra
ligero soplo de aire
detenido en el viento,
en el espanto,
entre la movediza realidad y el río   20
de las sombras. Ahí está detenida
la palabra vivaz, salvado este momento
único
entre las dos historias.
...De pronto el caminar fue duradero   25
y el hombre inmortal fue,
y las bocas que juntas estuvieron
juntas están por siempre.
Y el árbol se detuvo en su verdor
extraño, y la queja   30
ardió como una zarza
misteriosa.

3

Allí estamos nosotros.
Allí dentro del hálito.
Tú que me lees estás allí   35
con un libro en la mano.
Y yo también estoy.

vv. 30-31-32: Estos versos recuerdan el pasaje bíblico en que Moisés
recibe su vocación: "(...) El Angel de Yahveh se le apareció en forma
de llama de fuego, en medio de una zarza. Vio que la zarza estaba
ardiendo, pero no se consumía. (...)" (*Biblia de Jerusalén*, Desclée de
Brouwer, Bilbao, 1967; *Éxodo*, Cap. III, vers. 2, pág. 64). De esta
manera el poeta y su labor quedan como divinizados, aunque
momentáneamente.

Tú de niño, cual hombre, como anciano,
estás allí.
Tu corazón está con su amargura,   40
ennoblecido y muerto.
Y vivo estás.
Y hermoso estás.
            Y lúcido.

4

Todo se mueve alrededor de ti.
Cruje el armario de nogal, salpica   45
el surtidor del jardín.
Un niño corre tras una mariposa.
Adolescente, das tu primer beso
a una muchacha que huye.
Y huyendo así, huye nada,   50
quieto en el soplo tenue.

5

Y así fue la palabra entre los hombres
silenciosa, en el ruido
miserable
y la pena,   55
arca donde está el viento detenido
y suelto,
acorde suspendido y desatado,
leve son que se escucha
como más que silencio, en el reposo   60
de la luz, de la sombra.

Así fue la palabra,
así fue y así sea
donde el hombre respira,
porque respire el hombre.   65

vv. 45 a 59: Ver Introducción, pág. 47.
vv. 50-51: Síntesis del estilo paradojal de todo el poema, enfatizado aquí
    por la repetición del verbo "huir".

ODA EN LA CENIZA

A Francisco Brines

Una vez más. Las olas, los sucesos,
la menuda porfía que horada
la granítica realidad, el inmóvil
bloque donde los tiempos
giran como un águila   5
aciaga.
     Cada minuto el mundo es otro,
otra la muerte,
otro el desdén, la diurna aparición del entusiasmo,
el radical sentido.
     Perdemos suelo,
firme contacto, asidero de sombras. Dame   10
la mano, álzame, tocaría
acaso la sublime
agarradera sin ceniza, la elevada
roca, el alto asiento
del resplandor, la puerta que no gira   15
ni se abre, ni cierra, el último
fundamento del agua, de la sed, de los aires
diáfanos,
del barro mísero donde el ardor se quema

---

vv. 1 a 10: Se enuncia claramente el protagonista de la poesía de Carlos Bousoño: "la menuda porfía" del paso del tiempo, que lo "horada" todo, hasta lo que parece más impenetrable o "granítico". Todo cambia, todo es otro siempre, incluso la muerte.
vv. 15-16: Ver Introducción, págs. 44-45.

como un ascua. Oh tentación de ser   20
en la portentosa verdad,
en el irradiante espacio, estallido de veneración
más allá del respeto
sombrío. Oh calcinante
idealidad sagrada que no arde ni quema   25
en la deslumbradora invisibilidad, en la increíble
fuerza del mundo. Oh témpano de oceánico ardor
donde el cansancio
puede brillar y la queja
abrasar y ser otra, y el hombre apetecer y saciarse 30
en el alimento continuo.
                            Oh desaliento
del desconocer, hambrear, consumirse,
centro del hombre.
                   Tú, mi compañero,
triste de acontecer,
tú, que como yo mismo ansías lo que ignoras, y tienes
                        [lo que acaso no sabes, 35
dame la mano en la desolación,
dame la mano en la incredulidad y en el viento,
dame la mano en el arruinado sollozo, en el
                       [lóbrego cántico.
Dame la mano para creer, puesto que tú no sabes,
dame la mano para existir, puesto que sombra
                      [eres y ceniza, 40
dame la mano hacia arriba, hacia el vertical puerto,
                     [hacia la cresta súbita.
Ayúdame a subir, puesto que no es posible la llegada,
el arribo, el encuentro.
Ayúdame a subir puesto que caes, puesto que acaso
todo es posible en la imposibilidad,   45

v. 33: En adelante, se hace evidente el engaño, o el "autoengaño" que
significa pedir ayuda a otro ser humano que se halla en idéntico
estado de desvalimiento existencial que nosotros. Otra forma de
"salvación" que no es alcanzada por la poesía religiosa de Carlos
Bousoño, o lo es sólo momentáneamente.

puesto que tal vez falta muy poco para alcanzar la sed,
muy poco para coronar el abismo,
el talud hacia el trueno,
la pared vertical de la duda,
el terraplén del miedo.
            Oh dame   50
la mano porque falta muy poco
para saltar al regocijo,
muy poco para el absoluto reír y el descanso,
muy poco para la amistad sempiterna.
            Dame la mano
tú que como yo mismo ansías lo que ignoras y tienes
            [lo que acaso no sabes,   55
dame la mano hacia la inmensa flor que gira
            [en la felicidad,
dame la mano hacia la felicidad olorosa que embriaga,
dame la mano y no me dejes caer
como tú mismo,
como yo mismo,   60
en el hueco atroz de las sombras.

vv. 56-57: Alusión a la "flor" que sólo alcanzan a ver los "bienaventura-
dos", hasta identificarse o ser en ella, según la *Commedia* de Dante
Alighieri. Varios pasajes del *Paraíso* (Canto XXX; vv. 64 a 69; 91 a
105; 115 a 126. Canto XXXI: vv. 1 a 30) nos remiten a estos dos
versos de *Oda en la ceniza*. (Citamos por Alighieri, Dante: *Comedia.
III. Paraíso,* Texto original y traducción, prólogo y notas de Angel
Crespo, Seix Barral, Serie Mayor 35, Barcelona, 1.º ed., 1977, págs.
356, 358, 360 y 364-366).

*ANÁLISIS DEL SUFRIMIENTO

A José Olivio Jiménez

El cruel es un investigador de la vida,
un paciente reconstructor, un objetivo relojero,
                            [un perito
que quisiera conocer la existencia,
el secreto de la vida que en el sufrimiento se explora.

El amante de la sabiduría está listo   5
para su operación delicada.
Y la materia del análisis queda
a su merced: un hombre sufre.

Horrible es conocer la verdad, y el miserable hallazgo
destruye a quien lo obtiene,   10
pues nadie en otro pudo ni podrá nunca conocer
                           [hasta el fondo

en su verdad palpable, sin morir,
la vida misma revelada.

---

* Con "Análisis del sufrimiento" comienza en *O. en la C.* —y se
intensificará en *M.L.*— el procedimiento que el mismo Carlos Bousoño
ha denominado "Análisis lógico de las irrealidades: La técnica de
"ensayo científico" como metáfora o símbolo". (*P.P.* 192.) (Ver Introducción, págs. 51-52).
En *S.V.* desaparecen todos los espacios interestróficos. En *O. en la C.* y
en *A.P.* se encuentran tal como aquí se destacan (Indicación del
autor).

Sin embargo, es muy cierto
que el sufrimiento expresa   15
al hombre, aunque lo arruina,
porque tras la experiencia dolorosa
es otro hombre el que nace, al conocerse,
y conocer el mundo.

No siempre, ciertamente,   20
puede quien ha sufrido
resistir todo el peso de su sabiduría.
Alguno nunca vuelve
a la vida, pues es difícil ser
tras la vergüenza de haberse así sabido.   25

Otros viven, mas rota
su dignidad en la infamia
que todo dolor es,
indignamente
prosiguen, y una mueca   30
es su gesto, su hábito.

Hay quien asume
de otro modo el dolor,
la concentrada reflexión que todo dolor es.
Tras la meditación espantosa, el hombre puede oír,   35
palpar y ver,
y conocerse y ser entre los hombres.

Y he ahí cómo el cruel se equivoca
en su filosófica labor, porque sólo quien sufre,
si acaso lo merece,   40
logra el conocimiento que el cruel buscara en vano.

Conoce aquel que sufre y no el que hace sufrir,
éste no sobrevive a su conocimiento,
y aunque tampoco el otro muchas veces
puede sobrellevar esa experiencia   45

terrible, logra en otras
escuchar sorprendido
el más puro concierto,
la melodía inmortal de la luz inoíble,
allí, en el centro mismo de la humana miseria.   50

vv. 46 a 50: El sufrimiento nos ennoblece, nos hace escuchar "el más
   puro concierto, / la melodía inmortal de la luz inoíble, "—vocabulario
   simbólico-religioso—, "allí, en el centro mismo de la humana miseria", que es nuestra condición mortal, dolor y sufrimiento. Se repite la
   paradoja ya enunciada en "Salvación en la palabra": la oda desde
   la ceniza, el canto aún en medio de la ignominia del ser.

*EL BAILE

A Pierre Darmangeat

El ser y la nada se han hecho para bailar juntos.
Se han hecho para bailar y permanecer enlazados.
Con las cabezas juntas, con amor y delicadeza
la pareja incesante gira en el interminable crepúsculo
una danza sin fin. En el torbellino aparecen,   5
discontinuos, los cerros, las ciudades, las horas.
Villas y torreones, castillos,
en la llanura se alzan. Poblados
nacen y mueren con la velocidad de la llama
y el cortesano susurra   10
palabras halagüeñas en tanto
pasan los siglos y se desvanece la aurora.
El polvo ha instaurado su navidad. Golondrinas
que nunca vuelven al nido,
palomas sepulcrales, banderas   15

---

* Inserto en la tradición de las Danzas de la Muerte medievales, de
los *Sueños* de Quevedo, de las visiones de J. Bosch, Brueghel el Viejo o
Duero, este "baile" macabro en el que se abrazan "el regocijo" (Ver
"Danza de la vida", *I.R.,* pág. 53) y "la desesperación" (v. 17), aparece
como un interminable "torbellino" (v. 5) que recorre todos los matices
de la exasperación, la angustia, la sorna y el absurdo. Las fúnebres
nupcias entre "el ser y la nada" (v. 1) explican el insistente estilo
paradojal de todo el poema, las inversiones ilógicas, las peticiones
imposibles (vv. 21 a 24). Esto ocurre porque, como ha dicho el mismo
Carlos Bousoño al referirse a la intuición radical de su poesía que es la
vida como Primavera de la Muerte, como "la *nada siendo*:" "(...) de
los dos elementos (...) sólo uno es el esencial: la muerte, la nada. (...)"
(*P.P.,* pág. 155).

hechas trizas, remotas campanas, gorjeos.
He aquí que el gran baile ha dado comienzo. Del brazo
      [se pasean el regocijo y la desesperación,
y todo sale a luz y todo es como si no hubiese
                     [empezado.
Una montaña empieza en el pico más alto,
sube hacia sus laderas y arriba está el valle.   20
Sécate en medio del agua fría de octubre,
Lorenzo, sumérgete en la nada pletórica.
Estamos ahítos de necesidad y es el hambre un hartazgo
                  [tan bello
como una esmeralda. Decidme,
caminantes que borráis vuestras huellas con tanto
      [cuidado y esmero y desaparecéis en la noche, 25
decidme dónde estáis, a qué extraño resplandor
                   [os volvéis,
invisible,
dónde, danzantes que interrogáis el misterio,
dónde encontraros.
             Muertos,
matados, asesinados: vivos,   30
montón de injuria repentina. Obscenas
ciudades pálidas, habitadas de huesos,
urgentes catedrales altivas,
violines.
        Oh belleza, oh sentido,
oh terrible vivir al borde de un sollozo   35
y noche donde muere la esperanza.

---

v. 36: Por primera vez en el libro, la palabra "noche" nos remite a la
concepción de *Noche del sentido* de Carlos Bousoño, diferente a la de
San Juan de la Cruz por su intrascendencia religiosa (ver Introducción, pág. 46).

EXPERIENCIA

¿Experiencia, inocencia?
Lo mismo es la mañana
que la noche. La aurora
que el ulular del viento.

Lo mismo es la respuesta a tus palabras   5
que la espuma del río.
Si gritases ahora contra el muro
es como si durmieras.

Da lo mismo callar que haber hablado.
Lo mismo fue el olvido   10
que la ansiedad de un día.
Lo que ha sido no importa.

Nada quedó de todo.
Todo al fin se ha extinguido.
En el borrado mundo, cenicienta,   15
toda experiencia es vana.

v. 9: El estilo gnómico, sentencioso (Ver Introducción, pág. 44), que
   ejemplifica magistralmente este verso, acentúa la idea de la precariedad, de la vacuidad, de la inutilidad en que consiste la vida del
   hombre. Desde la perspectiva de su finitud, nada tiene sentido, y el
   estilo paradojal, por consiguiente, se resuelve en una lacónica y
   trágica identificación semántica. (Francisco Brines ha señalado esta
   síntesis de la paradoja en Carlos Bousoño. Ver Introducción).

*EN LA CENIZA HAY UN MILAGRO

A Guillermo Carnero

En la ceniza hay un milagro.
Allí respira el mundo.

En la ceniza hay un despertar y un oír y un
    [relampaguear y un absorto tener y un erguirse.
En la ceniza hay día y brilla el sol
futuro.   5
En la ceniza hay miedo.
Todo vuelve a empezar.

En la ceniza hay hombres.
Hay amor, hay desdicha.
En la ceniza hay noche y un crujido en la noche,   10
y hay soplo entre las sombras y hay suspiros.
En la ceniza hay lágrimas.

¿Por qué entre la ceniza no se oye
respirar ese mundo que respira
el aire irrespirable,   15

---

* A diferencia del poema anterior, la perspectiva desde la que
alientan estos versos es la del renacer de la vida, la de su florecimiento
desde la ceniza: "Sólo de la muerte nace todo lo que claro vemos, / (...)"
("Sinfonía de la muerte", *P.M.*, pág. 88). Pero también de la ceniza nace
lo que aún hoy no es (vv. 4 y 5), la vida futura, el mundo nuevo (vv. 13 a
16): "Y una paloma vuela bajo el sol."

la fuerza irrespirable que ha de surgir? Callad.

En la ceniza hay viento y no se oye.
Y una paloma vuela bajo el sol.

v. 17: Ver Introducción, pág. 46.
v. 18: Símbolo de la nueva vida.

COMENTARIO FINAL

Cavaste hacia el abismo
dentro de ti
por vivir más. Sufriste un sufrimiento,
te enajenó un cuidado.
Penetraste la noche sobre todo   5
interior,
y no hubo luna, sino necesidad
de algo más bello.
Hambre de ti y sed de ti tuviste
y junto al pozo del no ser no hablaste.   10
Asomado al brocal no viste estrellas
temblorosas, ni hubo luz en la noche
profunda. Lo que al fin ocurrió
nadie lo diga. No se envidie este canto:
si lo escribí fue que primero he muerto.   15

v. 10: Ver Introducción, pág. 47.
v. 15: Canta quien antes ha muerto, es decir, quien ha sufrido, o su
equivalente, quien ha vivido.

II

*MAS ALLÁ DE ESTA ROSA

(MEDITACIÓN DE POSTRIMERÍAS)

A Pedro Gimferrer

I

Una rosa se yergue.
Tú meditas. Se hincha
la realidad, y se abre, se recoge, se cierra.
Cuando miras, entierras. Oh pompa
fúnebre. Azucena: relincho   5
espantoso, queja oscura, milagro. Tú que la melodía
de una rosa escuchaste, sangrienta
en el amanecer cual llamada
de una realidad diminuta,
miras tras ella el hondo   10
trajinar de otra vida, la esbelta

---

* La rosa es símbolo de la vida o de la "Danza de la vida" —Ver nota
a "El baile"—; tampoco olvidemos que la flor del *Paraíso* dantesco es
una rosa —Ver nota a vv. 56-57 de "Oda en la ceniza"—. "Más allá" de
ella se halla el enigma, y por él nace esta "Meditación de postrimerías"
("sietedurmiente de las postrimerías" se autodenomina don Francisco
de Quevedo y Villegas en "A quien leyere" de *El sueño de la muerte,*
prologuillo encabezado por las siguientes palabras: "He querido que la
muerte acabe mis discursos como las demás cosas [...]". En Quevedo y
Villegas, Francisco de: *Obras completas,* estudio preliminar, edición y
notas de Felicidad Buendía. Tomo I: *Obras en prosa,* Editorial Aguilar,
Madrid, sexta edición, 1974, pág. 194).
Véase cómo la idea de vida-muerte o nacimiento-fin —"cuna y sepultu-
ra", diría Quevedo—, que se anuncia ya aquí, se desarrolla de ahora en
más en un estilo paradojal que por momentos se torna incisivo o
apremiante (vv. 4-5-6; vv. 20 a 27), como "una ansiedad frenética" (v.
17).

rapidez con que algo se mueve en la noche
con prisa, como si quisiera llegar a una meta
insaciable. Hay detrás de esta rosa, que yergue
suavemente su tallo, una pululación hecha náusea,   15
un horrible jadeo,
una ansiedad frenética, un hediondo existir que
                                        [se anuncia.
Una trompeta dispara
su luz, su entusiasmo sonoro
en el estiércol. ¿Qué dices,   20
qué susurras, qué silbas
entre la oscuridad, más allá de esta rosa,
realidad que te escondes? ¿Qué melodía
articulas y entiendes y desdices y ahogas,
qué rumor de unos pasos   25
deshaces, qué sonido
contradices y niegas? La cadencia está dicha,
realizado el suspiro.
El rumor es silencio,
la esperanza, la ruina. Todo silba y espera,   30
silencioso, engreído,
más allá de esta rosa.

II

Más allá de esta rosa, más allá de esta mano
que escribe y de esta frente
que medita, hay un mundo.   35

vv. 18-19-20: El elemento vital ("trompeta", "luz", "entusiasmo sonoro") tiene siempre su contrapartida en uno mortal ("estiércol").
(Carlos Bousoño, *P.P.*, pág. 183). La "trompeta" puede tener reminiscencias bíblicas; creemos que las más adecuadas para este pasaje son
las del *Apocalipsis* (Capítulos 8, 9, 11), por tratarse de las trompetas
que anuncian el final. Un ejemplo: "Vi entonces a los siete Ángeles
que están en pie delante de Dios; les fueron entregadas siete trompetas. (...)" (*Biblia de Jerusalén,* op. cit., pág. 1648).
vv. 21 y 30: Ver Introducción, pág. 47.

Hay un mundo espantoso, luminoso y contrario
a la luz, a la vida.
Más allá de esta rosa e impulsando su sueño,
paralelo, invertido
hay un mundo, y un hombre   40
que medita, como yo, a la ventana.
Y cual yo en esta noche, con estrellas al fondo,
mientras muevo mi mano,
alguien mueve su mano, con estrellas al fondo,
y escribe mis palabras   45
al revés, y las borra.

---

vv. 38 a 46: La descripción del mundo "paralelo, invertido" de la muerte
es una desrealización, una negación, el revés de una trama en la que
especialmente, se *des-hace* el mundo de la vida. (Ver *P.P.*, págs. 222-
223 e Introducción, pág. 40).

*CANCIÓN PARA UN POETA VIEJO

Muy cerca de la vida. Así tu hablar.
Llegaste a viejo cual se llega al mar.

Como se llega al mar, tu pie en la arena,
era el acento de tu voz serena.

Azotado del viento y de la edad   5
fuiste la vida y la serenidad.

Tu voz sonaba a sal y a caracolas,
viejo de luz, hermano de las olas.

Cerca del mar. Como la mar. Hermoso
tu corazón y todo su reposo.   10

Conocimiento fue tu reposar.
Llegaste a viejo cual se llega al mar.

Llegaste a viejo cual se llega a ser
la luz delgada del amanecer.

---

* Este poema se tituló "Canción para Vicente Aleixandre" en
Homenaje a Vicente Aleixandre. El Bardo, Colección de Poesía Núm. 5,
Barcelona, 1965, pág. 27. Pasó a *Homenaje a Vicente Aleixandre,* Ínsula,
Madrid, 1968, pág. 90, aún con este título. Recién en *O. en la C.* recibe el
título de "Canción para un poeta viejo", título que se repite en *A.P.,*
pág. 189, aunque aquí pasa a formar parte de la Sección III de *N.S.* Por
indicación del autor, el poema sigue formando parte de la edición
definitiva de *O. en la C.*

La luz delgada del saber callar,   15
del saber conocer y desear.

Del saber esperar, callar, seguir
hasta las olas del saber vivir.

Hasta las olas del saber amar
profundamente y como es quieto el mar.   20

Y así tu ser, escrito en agua y sal
y en viento fue, y en todo lo inmortal.

A UN ESPEJO ANTIGUO

A Angélica Bécker *

Yo te miro como uno de tantos fugitivos, te arrojo
una mirada furtiva, temerosa, asustada.
Qué has visto asomarse a tu ventana lóbrega
que hospedó entre su noche
plateada   5
una mueca de espanto en un atardecer soñoliento,
quieto allá en el jardín, donde el boj que aún está
residía.
Qué has visto luego, qué fantasma de carne
se asomó a tu pupila   10
inmóvil, qué celeridad de penumbras
pasaron por tus aguas. Qué rostro de mujer o de niño
se asomó en el estanque
de tu sueño,
qué rostro esperanzado, con amor y confianza   15
puso confianza, amor en lo que es algo
pasajero en la noche.
Quién después se asomó

* En la introducción a Trakl, Georg: *Cantos de muerte,* selección,
traducción y estudio previo de Angelika Becker, Al-Borak Ediciones,
Madrid, 1972, vuelve Carlos Bousoño a saludar a la poeta y traductora
a quien dedica este poema.

vv. 7-8: "Boj. 1. Arbusto de la familia de las buxáceas (...). / 2. Madera
de este arbusto (...)." *(Diccionario de la lengua española,* Real
Academia Española, Madrid, vigésima edición, 1984). El poema usa
estas dos acepciones de la palabra, trasladándonos desde su oscuro
presente (madera) a su pretérito vital (arbusto en el jardín).

—el ojo fatigado, la constancia
sólo de la ceniza entre el cabello   20
pálido ya—,
quién, qué dama con cansancio y tristeza
se miró sin poder recoger en tu orbe
diminuto
la imagen de la joven que otro tiempo   25
miraba.
Tus aguas impasibles reflejaron
con crueldad los años, los desvíos
de tanto amor.
          Y cayó un cuerpo
más tarde, pesadamente entre las aguas oscuras,
                         [ondulantes   30
un momento tan sólo.
Se cerraron después ávidamente
y el cristal sosegado, el cristal limpio
resplandeció enteramente lúcido.

SENSACIÓN DE LA NADA

Tiene, después de todo, algo de dulce
caer tan bajo: en la pureza
metafísica, en la luz
sublime de la nada.
En el vacío cúbico, en el número   5
de fuego. Es la hoguera
que arde inanidad. En el centro
no sopla viento alguno. Es fuego
puro, nada pura. No habiendo fe
no hay extensión. La reducción del orbe a un punto,
                   [a una cifra que sufre.   10
Porque es horrendo un padecer simbólico
sin la materia errátil que lo encarna.
Es la inmovilidad del sufrimiento
en sí... Como la noche
que nunca   15
amaneciese.

v. 1: Vuelve a usarse la forma "ensayística". El análisis de la "Sensación
de la nada" emplea vocabulario religioso y pausado estilo ceremonial.
v. 10: Ver Introducción, págs. 48-49.

*DÓNDE

Dónde el latido, el virgen miedo,
la tempestuosa semilla
que se abrirá mañana
como espanto, cual trueno
dentro de ti,   5
que se abrirá a la noche
súbita, a la vaciedad de tus cuencas,
ojos vacíos del no ver, resplandor
del no mirar, horrísono sonido
del no oír   10
y no palpar,
sí, dónde.

Dónde en tu corazón entregado,
dónde en tu pecho, dónde
en tu risa, en tu hablar cotidiano, en tu dirigirte
                                    [a ese amigo, 15
dónde al coger, agarrar, retener,
alcanzar,

* La idea del ser para la muerte, del ir viviendo al par que muriendo,
tiene aquí una de sus versiones más agónicas. La absurda pregunta
"Dónde", que no tiene otra finalidad que la de destacar su respuesta
implícita (la muerte está en nosotros, crece con nosotros) provoca un
estilo jadeante o acuciante que logra su clímax en los vv. 22-23-24
(repeticiones, rimas, rimas internas), y un abrupto final anticlimático en
los vv. 25-26, en consonancia con su referente: la nada final.

dónde en medio de tu felicidad, en la mitad de
                                    [un calcinante amor,
en el jadear mismo del amor, del placer del amor
                                    [dónde está   20
se esconde.

Dónde, dónde estará, dónde está ya, dónde está ahí,
                                    [dónde está
muerto ya, hace ya mucho ya,
dónde tú, vivo, muerto, hecho, dicho,
nicho   25
ya.

*EL MUNDO ESTÁ BIEN HECHO

Los ríos van a la mar,
el mar a las playas de moda,
de manera que el mundo está bien hecho.

Este poema recién se publicó en la edición de *S.V.*, pág. 113, con la siguiente nota del autor: "La censura suprimió este poema de *Oda en la ceniza*, que hoy publico en el lugar que debió ocupar en su día." Se publicó luego del poema "Dónde". El autor ha indicado su inclusión en la edición definitiva de *O. en la C.*, así como idéntica ubicación que en *S.V.*

* El título del poema nos remite a la famosa polémica en torno al verso de "Beato sillón" de *Cántico* de Jorge Guillén (Guillén, Jorge: *Aire nuestro I. Cántico*, Barral Editores, Biblioteca Crítica, Barcelona, 1.ª ed., 1977, pág. 245). El primer poema de la Sección 5 de *Pasión de la tierra* de Vicente Aleixandre lleva el mismo título (Aleixandre, Vicente: *Obras completas*, prólogo de Carlos Bousoño, Editorial Aguilar, Madrid, 1968, págs. 233-234). *Luis Cernuda reaccionó diciendo: "(...) (El mundo está bien / Hecho*, escribe Guillén; e instintivamente, al leer tales palabras, nos brota el grito contrario: "No. El mundo no está bien hecho; pero pudiera estarlo mejor si no lo impidiera siempre, precisamente, ese conformismo burgués".), (...)". (En "Generación de 1925", Sección 4ª de *Estudios sobre poesía española contemporánea*. Citamos por Luis Cernuda: *Prosa completa*, edición a cargo de Derek Harris y Luis Maristany, Barral Editores, Biblioteca Crítica, 1975). (Amparo Amorós ha hecho referencia a este tema en "Luis Cernuda y la poesía española posterior a 1939", en *Entre la cruz y la espada: En torno a la España de posguerra. Homenaje a Eugenio G. de Nora*, Editorial Gredos, Madrid, 1984). El mismo Jorge Guillén cerró la cuestión con el poema "Enemigo" (Jorge Guillén: *Aire nuestro. Final*, Barral Editores, Biblioteca Crítica, Barcelona, 1981, pág. 268).

v. 1: La alusión a los famosos versos de Jorge Manrique: "Nuestras vidas son los ríos / que van a dar en la mar, / que es el morir."

Sobre esta cuestión no puede discutirse. Mas si alguien
quisiera alzar su voz contra el aserto,   5
le taparíamos la boca con la prueba más firme:
el General.
No puede darse un general en jefe sin que exista
el orden en las filas. Y, por tanto,
las filas del orden del General en Jefe   10
y el Jefe mismo, en general, como ya he dicho,
                              [vienen a demostrar
la armonía preestablecida y la buena mano
                              [que ha tenido quien pudo
para hacer lo que ha hecho. Aunque, después de todo,
no hubiera sido necesario traer
hecho tan concluyente, toda vez que este mundo,   15
y, en general, toda playa de moda que va a dar
                              [en la mar,
eran ya suficientes para que nos bañásemos
en el más general regocijo
del General en Jefe.

(Coplas a la muerte de su padre), y la presentación de la figura del
"General en Jefe", plantean, desde el comienzo, con sorna y humor
lacerantes, el triste rol del ser humano, una suerte de títere en "las
filas del orden" de un Jefe-Dios inexistente. La ironía sirve para
desviar el discurso y decir exactamente lo contrario de lo que se
enuncia: es decir, "el mundo no está bien hecho". (Ver "Divagación
en la ciudad", v. 64).
   Aunque en el poema pueda vislumbrarse algún tipo de diatriba
social que, junto a la mención del General en Jefe —probable alusión
a Francisco Franco— decidiera a la censura, en su momento, a su-
primir el poema, el más evidente alcance de la protesta es metafísico.

III

*SUSANA

Susana, don de junio
con palomas,
promesa de verano, breve
cajita musical, brizna de luz pequeña
en quien yo puse   5
un corazón sapiente.

¿Adónde vas, tan leve como un hilo de agua clara,
blanda como un aroma?
¿Qué te espera?
        Aún no conoces esto,
¿qué harás tú, qué puede   10
una gota de música, en el mundo
del estruendo
y la ira infecunda? ¿Qué es un puro latido
de color, una nota de luz
contra las olas?   15

Las olas, tú las ves.
Azules quiebran
contra el acantilado
y tú las denominas,

* Aunque en *O. en la C.* y en *A.P.* el poema se titula "Susana, niña",
el autor ha indicado la supresión de la aposición en el título, a fin de que
aparezca claramente el pleno significado erótico del texto.

alegre espuma, hermosa nochebuena   20
de blancura encrespada,
risa y fiesta del mar. Yo con tristeza
te contemplo, con pena
te adivino
mirar el mar futuro   25
en el feroz atardecer de ahora.

Y no puedo decirte lo que miro
con mis cansados ojos
porque tú eres tan sólo
una frescura leve,   30
un poco de rocío,
¡y qué puede el rocío contra el amargo mar!

CANCIÓN DE AMOR PARA DESPUÉS
DE LA VIDA

Tú que me miras, tú que me ves aquí
en la tierra
como en la tierra soy,
como en la tierra estoy sin merecerte,
tú, pequeña verdad humana mía,   5
aquí, sin merecerte, sin merecer tu humana luz,
                    [tu belleza tranquila y delicada,
fugaz y delicada como una luz tranquila,
capaz, ay,
de envejecer y de morir también;
tú, sí, a quien he llegado   10
tan tarde ya, sin merecer ese sosiego ya
de tu pura belleza,
¿podré entonces, de pronto,
encontrarme a tu lado revestido de aquello que quisiera
para mí junto a ti?   15
¿Podré ser digno entonces de ti, entonces,
y dignamente estar como quisiera estar:
dignamente a tu lado, mereciendo
continuamente lo que eres
ahora para mí,   20
en esta tarde en que tú estás sentada
al lado mío contemplando
con tristeza mi rostro,
que ha empezado quizá,
tan pronto,   25
a envejecer...?

EN ESTE MUNDO FUGAZ

Pozo de realidad, nauseabunda
afirmación, nocturno
cerco de sombras. Todo
hasta la muerte. Somos
aciago resplandor insumiso, noche   5
florecida. Oh miseria
inmortal. Tú mi alondra
súbita, mi pequeño colibrí delicado,
flor mecida en la brisa,
tú, dichosa, tú, visitada por la luz,   10
lavada en su jardín que desciende
despacio,
pequeñez tan querida.

Aquí estás resistiendo,
viva, lúcida,   15
sostenida
en el sacro relámpago,
alumbrada y dichosa
en el trueno.
Tú, mi pequeña   20
rosa encendida siempre,
pétalo delicado,
húmeda nota,
tú, resistiendo aquí.

vv. 4 a 7: Ya se ha referido Carlos Bousoño a la paradoja que encierran
estos versos (*P.P.*, pág. 183).

Tú, resistiendo,   25
como si fueses basa,
columna, catedral,
como si fueses arco,
romana gradería, circo, templo,
como si fueses número,   30
incorruptible idea,
tú, mi pequeña Yutca,
mi pasajera soledad, mi fugaz entusiasmo,
tú, brevedad, caricia.

Tú, con brazos   35
débiles como flores,
con cintura,
con quebradizo cuerpo,
con delgadez, con ojos,
con espanto, con risa,   40
con noche en tu mirada,
tú, mi pequeña Yutca,
tú, resistiendo aquí.

*PERO CÓMO DECÍRTELO

Pero cómo decírtelo si eres
tan leve y silenciosa
como una flor. Cómo te lo diré
cuando eres agua,
cuando eres fuente, manantial, sonrisa,   5
espiga, viento,
cuando eres aire, amor.

Cómo te lo diré,
a ti, joven relámpago,
temprana luz, aurora,   10
que has de morirte un día
como quien no es así.

Tu forma eterna,
como la luz y el mar, exige acaso
la majestad durable   15
de la materia. Hermosa
como la permanencia del océano
frente al atardecer, es más efímera
tu carne que una flor. Pero si eres
comparable a la luz, eres la luz,   20
la luz que hablase,

---

* La presencia consoladora de la mujer amada vuelve a encarnarse en este poema en la misma mujer que inspiró el texto anterior ("Yutca". Ver v. 32, "En este mundo fugaz"). (Aclaración del autor).

que dijese "te quiero",
que durmiese en mis brazos,
y que tuviese sed, ojos, cansancio
y una infinita gana   25
de llorar, cuando miras
en el jardín las rosas
nacer, una vez más.

IV

DIVAGACIÓN EN LA CIUDAD

A Ricardo Defarges

Quisiera hablar tranquilamente. Ha llegado el momento
de la serenidad, en que es posible
hablar, decir algo recóndito y oscuro
como en la niebla o en la soledad o en la sombra.
                                  [Un susurro
en la voz basta a veces,   5
a veces la penumbra de una palabra basta,
a veces escuchamos un sonido
crujir, un paso remoto que se aleja
vacilando en el bosque. Un buque parte a veces y en
                                  [las aguas
algo creemos ver, insólito, es un brillo   10
que algo nos dice, un más allá, una dicha
veloz que repentinamente se extingue. No sé, una
                                  [burbuja
que acaso significa, como si viniera a nosotros
respirada por alguien, detrás de la tiniebla.
Así hablaría en el cansancio. Pero esta tarde   15
he creído ver algo. Yo recuerdo
de niño, he pasado de niño muchas veces
horas y horas contemplando una piedra,
y siempre yo veía cosas nuevas en ella,
montañas diminutas, enormes valles desolados,   20
y al mirar esperaba.
Esperaba el milagro.

v. 12: "Burbuja". Ver Introducción, págs. 47-48.

Ya lo sabéis. ¡Qué cosa!
Esperaba el milagro, estaba un poco tonto,
                              [un poco alegre,
un poco esperanzado,   25
lo mismo, sí, que ahora.

Pasan gentes veloces por la calle,
una calle cualquiera, no lo dudo, una calle
en donde nada ocurre. ¿Qué esperar, por qué miro?
Pasan gentes alegres,   30
a veces con sombreros de colores,
a veces con sombreros de otras cosas,
quizás penas, espinas.
Pero pasan alegres,
con enormes sombreros de alegría,   35
vestidos con vestidos, con trajes de payaso, con caras
                              [de azucena,
con caras menestrales o ya menesterosas de suspiros,
porque a veces
es difícil andar con tanta gente,
tantas palomas sucias, tantos ríos   40
que van al mar. Difícil, lo comprendo.
Siempre lo he dicho así. No sé qué pasa,
no sé que ocurre en mí ni por qué hablo
de todas estas cosas.
De pronto estoy más serio, casi triste,   45
casi necesitado de acariciar a un perro, a una persona,
a un burrito peludo, a un titerero.
Ya veis a qué conduce el estar triste
en una tarde rosa, en una calle
cualquiera, un cualquier día.   50
Empieza uno a pensar
así, como si fuese
todo importante y fiel, y solidario
con la necesidad de no ahogarse
en un vaso de vino o de amargura.   55

vv. 40-41: Nueva alusión a los famosos versos de Jorge Manrique (Ver
   Nota a "El mundo está bien hecho").

De ser siempre en el mundo,
de decir su quimera a cualquier hombre,
de gritar a los astros que hay aquí, sí, en la tierra,
hombres que valen un imperio,
imperios que hacen agua,   60
agua que no se bebe porque está prohibido,
y que es bonito
salir a una terraza cualquier día
y gritar a los astros que el mundo está bien hecho, y que
                                                    [he bebido.

vv. 59-60-61: Desarrollo independiente de imágenes a partir de la
palabra "imperio", recurso que refuerza el estilo narrativo-discursivo
de todo el poema, casi el del fluir de la conciencia.

*BIOGRAFÍA

Nació.
Salió.
Se capacitó.
Regresó.
Abrió la puerta y la cerró.   5
Miró.
Salió.
Reflexionó.
Volvió.
Encendió   10
la luz que luego apagó.
Cuidadosamente cogió
la manzana que no se comió,
y escogió
una silla donde se sentó.   15
No miró:
Recapacitó.
Marchó. Regresó.
Sopló
y desapareció.   20

* El anonimato de esta "biografía" refuerza la idea de la intrascendencia del acontecer humano, puntualizado aquí —desde el nacimiento
hasta la muerte— con una apretada enumeración de actos absurdos y
banales. Nada tiene sentido, como ese mismo final incomprensible que
nos espera.
vv. 19-20: La evanescencia, la desaparición como si se tratara de un
    hecho mágico o prodigioso, refuerza la idea del absurdo.

128

GIROS

Las estaciones giran,
giran las estaciones,
gira él, giro yo, gira el domingo,
el trueno, el desdichado
resplandor de la luna,   5
el poderoso, el ruin.
Gira el sollozo,
también la risa gira,
la alegría girando
en dolor se convierte.   10
Y el dolor gira y se hace
delgadez de cariño,
el sábado aparece,
aparece el amor.
Apareces despacio,   15
subes despacio, giras,
subes, giras, te haces
ministro, general,
abanderado, polvo
de la batalla, gira   20
el polvo con el viento
que gira y desvanece
el polvo en el confín.
Gira el confín sin polvo,
limpio de polvo y miedo,   25
inmaculado gira
limpio y crepuscular.

El crepúsculo gira
inmaculadamente.

Inmaculada noche   30
al fin sobrevendrá.

---

vv. 30-31: Como en el poema anterior, el resultado final del sucederse de
todas las cosas es la desaparición: "El baile" o la danza de la vida
termina con la llegada de la "inmaculada noche" (adviértase la
paradoja encerrada en la última expresión).

*LA PRUEBA

Buscando andamos todos una prueba.
Una prueba que pruebe realmente
que no nos engañamos cuando niños:
que si los reyes godos o los Magos.
Y nadie pensó nunca en lo más fácil: 5
la existencia del gordo.
Ahí tenéis al gordo: es entusiasta,
ceremonioso y listo. Está sentado,
y como si tal cosa: nunca le hicieron caso
                                    [como prueba...

Y, la verdad: no hay duda.   10
Uno tiene necesidad de muchas cosas:
creer en jeroglíficos, ver algo
detrás de aquella pluma de señora,
o bien, mejor aún, como os decía,
detrás del hombre gordo, aquel que manotea   15
mientras se da importancia por ser gordo.

* El tema de la prueba de la existencia de Dios vuelve, como en "El
mundo está bien hecho", a ser tratado de manera irónica y humorística.
"La existencia del gordo" que, por supuesto, no demuestra absolutamente nada, es una burla o parodia de otros sofismas y pruebas siempre
absurdas, según la tesis de este poema.
vv. 8 a 10: La antítesis de lo "ceremonioso" (v. 8), es decir, el estilo
cómico y ramplón en el que se desenvuelve el poema, se refuerza con
el uso de formas lingüísticas vulgares. Aquí (v. 10), "como si tal
cosa"; "para andar por casa" (v. 28); "acaba, así como así" (v. 47).

Ser gordo es cosa buena, es cosa alegre,
es cosa de sustancia y compromiso,
es cosa de gordura sobre todo, y cosa que va
                                [a misa cuando es fiesta.
Y sin embargo,   20
yo quisiera saber, qué tontería,
qué hay detrás de aquel gordo.
Porque tras la gordura hay otra cosa,
estoy casi seguro.
No puede ser así, sin más ni más,   25
que un gordo sea un gordo.
Un gordo simplemente, un gordo simple,
un gordo intrascendente y para andar por casa.
Un gordo es importante, lo hemos dicho,
y por tanto, detrás de su gordura   30
ha de haber escondido alguna cosa
que sirva para algo.
Quizá para sentarse o tal vez sólo
para andar más de prisa. Es imposible
que un respetable gordo   35
no tenga utilidad, como una silla
o una locomotora, o un jazmín.
Yo creo, señores,
que un gordo bien pudiera
demostrar a los ricos y a los sabios   40
que detrás de las cosas
más materiales, si queréis,
existe algo escondido. Y yo creo
que a San Anselmo (e incluso al Tomás santo)

v. 44: Se menciona a dos de los teólogos que escribieron acerca de la
demostración de la existencia de Dios: San Anselmo y Santo Tomás
de Aquino. El primero, en sus obras *Monologion* (capítulos I a IV) y
Proslogion (capítulos II a IV) —citamos por San Anselmo: *Obras
completas,* texto latino de la edición crítica del P. Schmidt, O.S.B.,
Introducción general, versión castellana y notas teológicas sacadas de
los comentarios del P. Olivares, O.S.B., por el P. Julián Alameda,
O.S.B., B.A.C., Madrid, MCMLII. Tomo I—, presenta sus argumen-
tos *a posteriori (Monologion),* fundados en las ideas de la verdad, de
la grandeza y del ser; y muy particularmente su famosa prueba *a priori
(Proslogion)* argumento ontológico o también llamado "ideológico"

se le escapó esta prueba.   45
Prueba infalible, a mi entender,
de que el mundo no acaba, así como así,
en un gordo.

---

o "noológico". (Recomendamos Vuillemin, Jules: *Le Dieu d'Anselme et les apparences de la raison*, Aubier Montaigne, Collection "Analyse et Raisons" 14, 1971). Opinó Antonio Machado en *Juan de Mairena*: "Es muy posible que el argumento ontológico o prueba de la existencia de Dios no haya convencido nunca a nadie, ni siquiera al mismo San Anselmo, que, según se dice, lo inventó. No quiero con esto daros a entender que piense yo que el buen obispo de Canterbury era hombre descreído, sino que, casi seguramente, no fue hombre que necesitase de su argumento para creer en Dios (...)." (Manuel y Antonio Machado: *Obras completas*, Editorial Plenitud, Madrid, 1973, pág. 1050).
Santo Tomás de Aquino (*Suma Teológica*, Introducción general por el P. Mtro. Santiago Ramírez, O.P., B.A.C., Madrid, MCMLVII. Tomo I: "De la existencia de Dios", Cuestión 2, Artículo 4: "Utrum Deus sit") dice que "La existencia de Dios se puede demostrar por cinco vías (...)" (Op. cit., pág 118); ellas son: el movimiento, la causalidad eficiente, el ser posible o contingente y el necesario, los grados de perfección que hay en los seres y el gobierno del mundo (op. cit., págs. 118 a 122).

V

*EL MUNDO: PALABRAS

A Juan Luis Panero

I

Era el atardecer de un día de julio.
Pájaros torpes en la baja luz
hundidos, salpicaban con su batir de alas
gruesas
de claridad aún el ámbito del día.   5
Miraste el mundo largamente y diste
cuenta de tu quehacer final. Nada quedó.
Nada quedó. Por todas partes, sombras.
Nada quedó. Todo, todo borrado.

* En *A.P.*, pág. 309, el poema ya lleva su título definitivo: "El mundo: palabras", en el que se invierte el utilizado, en *O. en la C.* ("Palabras: el mundo") a fin de que quede plenamente aclarado el significado central del texto, según la interpretación del mismo autor. El mundo es palabras (v. 51: "Palabras y palabras y palabras"), es decir, nada, o nada más que ellas. Al insinuarse esta última opción de alguna manera "primaveral", y pese al mensaje nihilista del poema, se vuelve a elevar la "oda desde la ceniza", como el mismo Carlos Bousoño ha explicado al referirse a los versos 80 a 86 de este poema: "Vale el mundo, en efecto, pese a su carácter de "flatus vocis", pese a sus posibles agujeros, inconvenientes, dolores, máculas. Y vale porque en este instante en que lo miro o en que lo vivo me está maravillosamente siendo; porque se me hace presente con *insistencia* (atendamos al vocablo) y carnalidad como un don (...)." (*P.P.*, pág. 174.) (Ver vv. 60 a 66; 71 a 78. Leer "Vale la pena" de *I.R.*, pág. 59).
vv. 9-10: "Borrado". Compárese con el final de "Más allá de esta rosa", v. 46.

Borrado como aquel mar lejano que nunca ya
[se oye,   10
en medio de la estepa sombría. Borrado ya y sin luz
como tu corazón aquella tarde
cuando al atardecer nada quedó.

II

Nada quedó. El agua y sus orillas.
El río en sombra del ayer. El viento.   15
Tus cabellos de pronto eran más pálidos
y tus ojos miraban con pesar.
"Quiero quedarme aquí junto a estos juncos
verdes, iluminados por el sol. Tan sólo
quiero quedar." Por el jardín vecino   20
pájaros leves en volandas iban
hacia una tenue y dulce claridad.

III

Iban hacia el amor de un día de julio
exactamente igual a éste. Iban
volando ciegamente hacia el confín.   25
Los aires eran pálidos y el río
se escuchaba remoto. El ciego día
era hermoso hacia julio y todo estaba
lleno de un amarillo resplandor.

IV

Volaban, sí. Nada quedó. Palabras   30
que dije, que callé, que pronuncié.
Palabras de espesor diminuto,
cálidas como nidos de palomas.
Palabras de colores, que se fueron,
o de yertas penumbras ateridas.   35

V

Todo fueron palabras. Aquel árbol o aquella
nitidez entusiasta.
Aquel río, aquel junio, aquel enero.
Aquella muchedumbre enloquecida
por su cuidado lóbrego. Aquel leve   40
rubor de amanecida.
Aquel cuerpo que amé. Aquella oscura
pasión interminable.

VI

Todo fueron palabras. El amor y el hastío,
el rigor de vivir junto a la nada ardiendo.   45
Como una antorcha que ilumina el vacío
desolador, como una llama indómita
que en la noche se mueve,
como tú, como yo, como nosotros,
todo fueron palabras.   50

VII

Palabras y palabras y palabras.
Hermoso como un mundo de palabras
el mundo de palabras.
Palabras diminutas, bellas y diminutas
como palabras diminutas, bellas.   55
Palabras bellas como estrellas bellas
que fuesen ya palabras diminutas.
(Palabras tan queridas
aunque fuesen palabras...)

VIII

Amaste las palabras.   60
Reconoces ahora que amaste las palabras,

su pequeño universo de sonido,
su locura más bella.
Palabras tiernas como monstruos dulces
que te hicieron vivir y a los que aún ahora   65
estás agradecido.

IX

Unas fueron hermosas y otras fueron crueles,
pero no menos bellas.
Unas fueron atroces,
otras tan sólo tristes, ninguna indiferente.   70

Las amaste así a todas.
Las de cálido pecho, las de cinturas leves como anillos,
las dulces como aromas,
las de inclinada espiga frente al viento furioso,
las aterradas por el anochecer,   75
o aquellas otras ateridas de frío,
sin ropa que ponerse,
todas fueron, oh, sí, amadas tuyas.

X

Amadas tuyas hasta el fin. La vida.
La hermosa vida que has vivido vale.   80
El campo, el valle, lágrimas de lodo
que has podido llorar, la niebla oscura.
Todo vale si es, aunque palabras
fuese. Todo vale si gime.
Todo vale si duele   85
junto a tu carne un mundo de palabras.

*CUESTIONES HUMANAS ACERCA
DEL OJO DE LA AGUJA

A Claudio Rodríguez

¿Será posible Aquello?
¿Será posible un espacio ensanchándose
terriblemente a cada instante,
a cada golpe de humanidad que ingresa
victoriosa en la Luz, a cada racha   5
de gloriosa miseria acontecidas
de amor y de tristeza y hecha luz,
y hecha de pronto luz,
luz que penetras
velozmente en la Luz,   10
en la luz única?

¿Será posible que de pronto
entre a empujones, a empellones súbitos,
brutalmente, diríamos,

---

* En *S.V.*, este poema está pospuesto al siguiente. El autor ha indicado que se respete el orden de *O. en la C.*

* En el "Evangelio de San Mateo", Cap. 19, vers. 23 al 26, se lee: "Entonces dijo Jesús a sus discípulos: "Yo os aseguro que un rico difícilmente entrará en el Reino de los Cielos. Os lo repito, es más fácil que un camello entre por el ojo de una aguja, que el que un rico entre en el Reino de los Cielos". Al oír esto los discípulos se asombraban mucho y decían: "Entonces, ¿quién se podrá salvar?" Jesús, mirándoles fijamente, dijo: "Para los hombres eso es imposible, mas para Dios todo es posible". (*Biblia de Jerusalén,* op. cit., pág. 1330).

v. 1: Recién en *S.V.* "Aquello" se escribe con mayúscula.
vv. 5-10 y 11: En *A.P.* y en *S.V.*, "Luz" se escribe con mayúscula.

por las sencillas rendijas del misterio   15
el hondo mar humano, el oleaje
mísero
de la calamidad y la paciencia?
¿El ojo de una aguja espera siempre
el ahilamiento prodigioso   20
de la terrible ola embrutecida
del sufrimiento atroz,
y allí los peces íntegros
del verde mar humano
de la pena, y todo   25
cuando acontece y es
y cuanto arriba al hombre,
y todo lo demás,
penetrará como la inmensa ola
sagazmente   30
por la imposibilidad de un agujero?

¿El agujero,
el roto, el descosido
adrede,
el desgarrón que no se ve,   35
el invisible tubo,
el hueco hilo
más delgado que el sueño
y que la palidez con que bregamos,
soportarnos podrá   40
terriblemente?

La presión hechizada
del sufrimiento humano,

v. 23: Otra probable alusión al Evangelio de San Mateo: "También es
semejante el Reino de los Cielos a una red que se echa al mar y recoge
peces de todas clases; y cuando está llena, la sacan a la orilla, se
sientan, y recogen los buenos en cestos y tiran los malos. Así sucederá
al fin del mundo: saldrán los ángeles, separarán a los malos de entre
los justos y los echarán en el horno de fuego; allí será el llanto y el
rechinar de dientes". (*Biblia de Jerusalén,* op. cit., Cap. 13, vers. 47 al
50, pág. 1323).

el poder de la pena,
la irresistible fuerza   45
que nos lleva hacia allí,
¿forzará las paredes tenebrosas,
raspará en agonía
el duelo, el muro?

¡Quién lo podrá decir!
Sellado está el silencio y oigo el rumor del mar
que el silencio golpea
una vez y otra vez.
...Una vez y otra vez, por si el silencio
tuviese una rendija,   55
tan sólo un agujero.

vv. 54-55-56: Ver Introducción, pág. 49.

*EN EL CENTRO DEL ALMA

El alma ha de morir, y es inmortal ahora.

C. B.

A Francisco Nieva

Allí, en el centro mismo
del ser, allí en el núcleo
impenetrable,
donde continuamente se alimenta
sagradamente un deber de existir,   5
porque sí, porque es sino,
y signo y simulacro
de otro vivir más hondo.

Allí, donde reside,
no el dolor, mas la vida,   10

---

* En *S.V.* este poema está antepuesto a "Cuestiones humanas acerca
del ojo de la aguja". Aquí se respeta el orden de *O. en la C.,* por
indicación del autor.

Ha dicho Carlos Bousoño que este poema se ocupa de "(...) otra
divinizadora quimera, sólo que ahora se halla ésta referida a la propia
alma del hombre, o mejor, al principio vital que la anima, sentido por el
poeta, un instante, como inmortal: "El alma ha de morir, y es inmortal
ahora", reza el lema que viene a esclarecer el sentido de esa composi-
ción. Como se ve, se basa aquí el autor en aquella falaz impresión (...)
común a todos los hombres: la de que la vida, aunque la sepamos fugaz,
la experimentemos y vivamos como si no lo fuera. El que muere es, en
todo caso, "el otro", y sólo rara vez, y como por relampagueante
intuición y vislumbre, se nos revela de veras, esto es, vitalmente, la
terrible verdad que bajo el tranquilizador embeleco se nos está incesantemente escondiendo (...)". (*P.P.,* pág. 165). Intuimos que vivir es vivir
para siempre ("la mañana que no pasa" —v. 22—, etc.) y esa "eternidad" que esencialmente somos está como fuera del dolor y de la
sucesión.

y no cualquiera, mas la tuya,
la alta vida sin bordes,
eterna, porque la eternidad
se agazapa en tan breve contorno,
y en ti muere y acecha,   15
y en ti vive y se esconde,
mientras existes tú.

Allí, donde no canta
nada, donde nada gorgea, pues que todo
es silencio y es cántico, y silbido   20
y retenido ruiseñor y urna
de la mañana que no pasa, inmóvil,
cristalina, encerrada.

Allí donde no sufres,
ni acongojado te delatas, donde   25
quieto te asumes,
y el dolor queda fuera
del témpano de vida
donde vives y eres,
inmortal de un instante,   30
trueno de ser, aurora de ti mismo,
principio de ti mismo, allí
respondes.

Allí,
donde arrecia el milagro,   35
la salvación más pura.

vv. 18 a 23: Ver Introducción, pág. 47.

*SALVACIÓN DEL AMOR

Seguid.
Agarrad un trozo de maderas, salvadlo de llamas,
de devastaciones, de miedos.

Nuestro nombre se borra, nuestras obras desaparecen,
                              [se confunden, se ahogan,
pero quede sin dudas el silbido de la propagación,   5
la religión de la permanencia de algo
dudoso, intermedio, increíble:
eso que el niño hace cuando juega, eso
que tiene nombre de llama y no quema
ni resplandece en la noche. Salvad un sonido,   10
salvad tan sólo un número caliente,
un ademán tan sólo susurrado
entre dos luces,
un gesto pálido de un caballero solo,
luego enterrado entre jazmines. Poned   15
esta flor en el ojal de un triste,
recoged al caído en su sueño
de amor, al penumbroso,
apenas aquejado.

---

* Uno de los poemas del libro de mayor estoicismo (vv. 30 a 36) y
grandeza ética. La aceptación de los límites humanos provoca el mensaje
amoroso o solidario.
v. 11: Ver Introducción, págs. 48-49.

En el fondo del pozo hay una lágrima,   20
una lágrima grande como un niño,
una queja, un recogido amor a alguien
muerto hace mucho. Salvadlo por amor
de la vida. Salvadlo por amor de la continuidad
                                        [del amor.
Salvadlo por amor   25
del hombre.
          Esto que viene tiene que ser hombre,
tiene que ser amor y propagar amor,
y tiene que ser costumbre de amor
sin esperanza ni premio de otro amor.

Sois vosotros los llamados, los elegidos   30
para que decidáis si ha de durar el gesto generoso
de vivir como vida en más que vida,
de aceptar con modestia ser tan sólo
un puente en el camino,
un puente tenebroso, esclarecido   35
por el amor tan sólo...

---

v. 20: Ver Introducción, pág. 47. "En el fondo del pozo" es el título de
    uno de los poemas de *Espadas como labios* de Vicente Aleixandre.
    (Aleixandre, Vicente: *Obras completas,* op. cit., pág. 263).

*A UN POETA SERENO

La inmovilidad de tu ser, que la fatiga de vivir
[no excluye
pero que significa reposo y alucinación
de un saber entregado;
la inmovilidad en que sabes vivir y respirar con
[naturalidad y ser entre la sombra,
la velocidad de tu personal calma,   5
de tu ser pleno e íntegro.
Siempre me ha sorprendido tu tranquilidad
[cuando paralizado te mueves,
cuando paralizado te arrojas
más allá de ti mismo, proyectado
hacia tus vertiginosas afueras, de una intemperie
[plácida,   10
allá donde tú te levantas repentinamente futuro
y donde inteligible te haces,
súbitamente.

¿Qué es lo que ven tus ojos en aquel alrededor
[insensato,
en aquel porvenir carnicero, obstinado, remoto,   15

* Este poema pasó a formar parte del *Homenaje a Vicente Aleixandre*,
Ínsula, Madrid, 1968, págs. 91 y 92. (Ver Nota a "Canción para un
poeta viejo").
vv. 14 a 16: Se sigue la versión modificada para *S.V.*, pág. 123. Así lo ha
indicado el autor.

de donde sólo tú regresar puedes;
qué es lo que ves, qué formas imposibles reconoces
                              [y apuntas
en la sombra? Tus manos rasguean signos,
palpan en los relieves
de las cosas,   20
en una realidad que pues no es
absurdamente existe allí donde tú reinas.
Palpa, palpita, insiste y dinos
la verdad, el insaciable
rencor con que nos mira   25
ese montón abominable y hondo
que ha de sustituirnos.
Allí espera ese bulto
horriblemente vivo y palpitante,
obsceno y vivo,   30
atroz, porque respira,
obsceno, pues que existe.
Y miras con tus ojos
la existencia blasfema
que ya nos sustituye,   35
te sustituye a ti.

Mas tal vez sea otra cosa
lo que miras.
Quizás agazapado está en aquel profundo silencio,
en aquel trágico espacio de universal mudez   40
un orden de existencias perfectamente lúcidas,
una inteligente reunión de realidades que
                        [sistemáticamente nos excluyen
del orbe, ay,
sin malicia.

Acaso tu mirada   45
haya podido regresar de aquel reino
con esa serenidad tan propicia
a los hombres, porque tú sepas
más. Acaso has arribado

a un conocer más hondo,   50
incomprensible.

        Tal vez regenerado por tu sabiduría,
erguido por ese saber tuyo que naciera
bajo de estas espumas
donde ignaros vivimos y flotamos inciertos,
hondo en el mar de tu conocimiento,   55
hundido allí, en la rocosa arena
firme del fondo, pero extraído y puro aquí para
                                  [nosotros,
puedas adivinarnos de otro modo
mejor, sabernos hondamente
mejor,   60
y hondamente mirarnos con sonrisa serena.

v. 51: Se respeta la edición *princeps* de *O. en la C.* y no las de *A.P.* y *S.V.*
en que la expresión "Tal vez regenerado por tu sabiduría", cobraba
categoría de verso independiente. Así lo ha indicado el autor.

TÚ QUE CONOCES

¿A quién acudiré?
                    Tú que conoces
el resplandor de sombra detenida,
el inmóvil quehacer, el trajinar infatigable de la
                              [absoluta calma,
la velocidad de la espera en el sueño
repentino,   5
el crujido en la tabla, la viga
de la verdad que cruje y nos señala
a los despiertos de la sombra,
a los alucinados de la espera,
a los ciertos,   10
a los insomnes,
a nosotros, en fin, a los dormidos;

tú que conoces el espanto
en medio de la brasa, a mitad de la risa, en medio
                              [del suspiro;
tú que conoces tanto de la escalera oscura,   15
de la oscura verdad, de la llamada
de pronto, allá en el entresueño,
de aquella voz que silba en plena oscuridad,
en plena noche, a plena bocanada,

vv. 2 a 14: Compárese este estilo paradojal con el de los versos 5 a 13 de
   "A un poeta sereno".
vv. 14-15: Se sigue la versión de *A.P.*, sin espacio interestrófico.
   (Indicación del autor).

151

a plena realidad de penumbra deshecha por el
[viento;   20
tú que conoces tanto del roído mendrugo
de un ensueño, de un canto
misterioso, más allá del sentido, de una música
que sonaba en la noche, en la delgada noche
tan fina como noche delicada,   25
que sonaba
casi sonando en la afinada oscuridad, más lenta
[que la vida,
mucho más lenta que la muerte;

tú que subes a tientas el recodo penúltimo
hacia la ruina de un sublime engaño,   30
enséñame a subir, a subir casi, a casi descender
[subiendo
con fatiga,
el escarpado
monte, el imposible monte
donde tú no has llegado.   35

vv. 22 a 27: Desarrollo del símbolo del "canto misterioso" (Ver
  Introducción, pág. 47), con probables reminiscencias de Fray Luis de
  León (Oda "A la vida retirada" y oda "A Francisco de Salinas").
vv. 25 y 27: "Fina", "afinada". Hay un juego semántico, además del
  sonoro, entre estas dos palabras: la acepción de "delicado, sutil" de la
  primera, y las de "afinada". De "Afinar. 2. Hacer fina o cortés a una
  persona. 6. Cantar o tocar entonando con perfección los sonidos".
  (*Diccionario Lengua Española* op. cit.).
v. 31: Compárese este final con los versos 42 a 50 de "Oda en la ceniza".

PRECIO DE LA VERDAD

A Ángel González

En el desván antiguo de raída memoria,
detrás de la cuchara de palo con carcoma,
tras el vestuario viejo ha de encontrarse, o junto al muro
desconchado, en el polvo
de siglos. Ha de encontrarse acaso más allá
                [del pálido gesto de una mano   5
vieja de algún mendigo, o en la ruina del alma
cuando ha cesado todo.
Yo me pregunto si es preciso el camino
polvoriento de la duda tenaz, el desaliento súbito
en la llanura estéril, bajo el sol de justicia,   10
la ruina de toda esperanza, el raído harapo
                     [del miedo,
la desazón invencible a mitad del sendero que
                  [conduce al torreón derruido.
Yo me pregunto si es preciso dejar el camino real
y tomar a la izquierda por el atajo y la trocha,
como si nada hubiera quedado atrás en la casa
                  [desierta.   15
Me pregunto si es preciso ir sin vacilación al horror
                        de la noche,
penetrar el abismo, la boca de lobo,

vv. 1 a 4: Ver Introducción, pág. 48.
v. 12: Recién en *S.V.* cobra categoría de verso independiente, división
    que aquí se respeta.

caminar hacia atrás, de espaldas hacia la negación,
o invertir la verdad, en el desolado camino.
O si más bien es preciso el sollozo de polvo
                    [en la confusión de un verano   20
terrible, o en el trastornado amanecer del alcohol
                    con trompetas de sueño
saberse de pronto absolutamente desiertos, o mejor,
es quizá necesario haberse perdido en el sucio trato
                    [del amor,
haber contratado en la sombra un ensueño,
comprado por precio una reminiscencia de luz,
                    [un encanto   25
de amanecer tras la colina, hacia el río.
Admito la posibilidad de que sea absolutamente preciso
haber descendido, al menos alguna vez, hasta el fondo
                    [del edificio oscuro,
haber bajado a tientas el peligro de la desvencijada
    [escalera, que amenaza ceder a cada paso nuestro,
y haber penetrado al fin con valentía en la
                    [indignidad, en el sótano oscuro.   30
Haber visitado el lugar de la sombra,
el territorio de la ceniza, donde toda vileza reposa
junto a la telaraña paciente. Haberse avecindado
                    [en el polvo,
haberlo masticado con tenacidad en largas horas de sed
o de sueño. Haber respondido con valor
                    [o temeridad   35
al silencio
o la pregunta postrera, y haberse allí percatado
                    [y rehecho.
Es necesario haberse entendido con la malhechora
                    [verdad
que nos asalta en plena noche y nos desvela de pronto
                    [y nos roba
hasta el último céntimo. Haber mendigado
                    [después largos días   40

vv. 24-25: Ver Introducción, pág. 46.

por los barrios más bajos de uno mismo, sin
      [esperanza de recuperar lo perdido,
y al fin, desposeídos, haber continuado el camino
    [sincero y entrado en la noche absoluta con
        [valor todavía.

v. 42: Pese al alto costo de tan mísera compra, pero precisamente por
    haberlo pagado, puede elevarse esta "oda" desde "el territorio de la
    ceniza" (v. 31), inserta en la más digna condición humana: la del
    conocimiento de la verdad, saber que, pese a todo el dolor que
    entraña, nos llena de valor y en cierto modo nos "salva".

LAS MONEDAS CONTRA LA LOSA

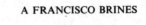
A FRANCISCO BRINES

I

*LA BÚSQUEDA

* Con este mismo título —el que lleva además el tercer poema de esta primera parte del libro— se publicó en el año 1971 una breve antología con poemas que luego formarían parte de *M.L.* (Ver Noticia Bibliográfica A) Poesía-2) Antologías personales).

DECURSO DE LA VIDA

> *"Cuando morimos dejamos una his-*
> *toria, nuestra biografía. ¿Quién*
> *ha narrado esa historia, sino nos-*
> *otros mismos al ir viviéndola?",*
> *dijo Pedro a Martín, volviendo la*
> *mirada hacia el horizonte.*
>
> C.B.

¿Desde dónde nos hablas, prorrumpes hacia ti,
                [pronuncias
tu relación secreta, tu oscuro
relato hacia la sombra? ¿Desde dónde
narras tu ser hacia la oscuridad,
raspas el paredón de la ignominia   5
verbal, excavas

En *M.L.*, el epígrafe de este poema era otro: "La vida, en cuanto que tiene o no tiene significación, podría ser comparada a la palabra", con las iniciales por firma: "C.B.". Ya en *A.P.* aparece el epígrafe tal como se reproduce en esta edición definitiva. En *S.V.* sólo se suprimieron las iniciales por firma, que aquí vuelven a estar, como en *A.P.* Se ha seguido la indicación del autor.

La interpretación dada por el mismo autor a este poema (Ver Introducción, págs. 36-37), la de la vida como un decir que vamos pronunciando (un decir "penoso", una "ignominia verbal"), no invalida la ya realizada sobre este poema: la de que la poesía es incapaz de expresar la experiencia tal como ha sido, insuficiente para "decir" la vida. Bousoño vuelve a desarrollar aquí la idea central de "El mundo: palabras", de *O. en la C.*, acentuando evidentemente el nihilismo sólo parcial del poema anterior.

tu penuria, te estrechas, te dilatas,
te asombras, te combates, te extremas,
desde qué ruina te haces,
reconstruyes el penoso decir, alargas una mano   10
para alcanzar la sílaba penúltima, la resbaladiza noción,
y vuelves a empezar otra vez la difícil palabra,
casi completa ya, borrosa ya de nuevo
por su principio inerme, expuesto al hielo, al fuego,
                                        [al exterminio,
cuya primera letra palidece y se anubla en la intemperie
                              [suave de toda privación,   15
y luego la palidez se propaga como una onda leve
                        [de descalificación atenuada,
algo como una tentación de no ser avanzando despacio
por el vocablo entero,
hechizado, extinguido?
Y comienzas de nuevo, sin embargo, con
                                  [terquedad insólita,   20
una vez y otra vez,
el tejido sonoro, la trama,
la entrecortada relación, el interminable relato,
en el entresueño de tu decir,
hasta que la palabra empezada y tejida y casi
                                  [dicha ya,   25
la palabra porfiada y querida,
da marcha atrás de pronto hacia su origen puro,
velozmente, hasta un cero semántico,
y traspasa la línea del silencio polar,
y empieza a ser negativamente, con poder misterioso,
        [hacia abajo, más allá de la no significación,   30
desdiciéndose allí enteramente y volviéndose del revés,
        [insubordinada, encrespada, en plena rebelión,
y allí se realiza colérica, al fin, en su horrísona
                                  [realidad verdadera,
como un inacabable trueno de sombra,
allende lo vivido.

v. 7: Comparar con vv. 2 y 3 de "Más allá de esta rosa" *(O. en la C.)*.
vv. 27 a 34. Compárese con el final —vv. 33 a 46— de "Más allá de esta
    rosa" *(O. en la C.)*.

ERA UN POCO DE RUIDO

Era un poco de ruido.
Jugaba, se movía, decía cosas bellas.
Era un poco de ruido, era un poco de malestar,
pues hacía daño su hermosura cuando se la
                              [contemplaba de cerca,
y en sus vestidos se adivinaba el azar de estar aquí
                              [y no allí,   5
en los últimos aledaños de un mundo invisitable.

Era un poco de reconcentrada imaginación, o,
                              [al contrario, tal vez
un poco de fantasía suavizada por la realidad
de un cuerpo espléndido, metido en oros, o en lluvias,
              [o en atardeceres, o en colinas,
pero sobre todo en matutinas pronunciaciones,   10
en picudas revueltas. Era, en efecto, un poco
                              [de revolución
ordenada, hecha serenidad o bien relámpagos;
hecha delirios o catástrofes
bélicas, pero inclinadas todas ellas al bienestar
como si fuesen una proclamación de carmines,
       [o de tornasoles, o de terciopelos,
              [o de suaves u onduladas cadencias,   15
o de inclinadas genuflexiones u oros
en el atardecer desmayándose...

Y es que era todo él una inclinación a decirnos adiós,
pues resultaba inestable aquí su presencia, o casi
                              [imposible,
como la terrible inmovilidad de una ola   20
en el mar de su encrespada belleza.

Pues a veces lo podíamos sorprender tempestuoso
                         [en plenitud oceánica,
que cedía en seguida para mirarnos con suavidad,
como un oro
de luz,   25
o se reducía hasta ser un diminuto, encantador
          [engaño en la amplia sombra de mi vivir,
o en mi lengua un poco de dulzura terrible
                    [que me despertaba en la noche
hacia la redención instantánea.

                         Oh, allá,
en el fondo del mundo, parecía empezar a existir
                         [una luz muy pequeña,
pero sagrada y repentina, un hondo   30
alentar
muy remoto, algo como una mano
insinuada en un sueño,
o como brazos, que en el lejano cieno
de siglos   35
intentaran vagamente pugnar,
y llegar,
y abrazarnos...

vv. 23-24: En *S.V.* se funden en un solo verso. Aquí se respeta la edición
   princeps, por indicación del autor.
En "Un ejemplo de análisis irracional o simbólico de las realidades:
   Técnica acumulativa" (*P.P.,* págs. 202-203), Carlos Bousoño se ha
   referido a este poema. Remitimos a Introducción, págs. 52-53.

Carlos Bousoño en 1989.

Sensación de la nada

Tiene, después de todo, algo de dulce
caer tan bajo: en la pureza
metafísica, en la luz
sublime de la nada.
En el vacío cúbico, en el número
de fuego. Es la hoguera
que arde inanidad. En el centro
no sopla viento alguno. Es fuego
puro, nada pura. No habiendo fe
no hay extensión. La reducción del orbe
    a un punto, a una cifra que sufre.
Porque es horrendo un padecer simbólico
sin la materia errátil que lo encarne.
Es la inmovilidad del sufrimiento
en sí... Como la noche
que nunca
amaneciese.

Facsímil de poema autógrafo de *Oda en la ceniza*.

LA BÚSQUEDA

A Jenaro Talens

Preciso es que la puerta permanezca cerrada,
o que se abra intermitentemente, o más bien
que no sepamos nunca en dónde puede hallarse el modo
de abrir la difícil cancela.

                        Nadie sabría
en qué rincón de polvo inescrutable, en qué
                        [oscuro desván   5
o severa yacija
habría de encontrarse lo que buscas a tientas,
                  [lo que vanamente interrogas
y alucinadamente esperas.

                        Tiemblas
cuando al caer del sol, tras el nogal añoso,

vv. 1 a 4: Compárese el nihilismo de estos versos (y de todo el poema),
escrito "cuando la noche se ha instalado" —v. 23—, con el ansia
esperanzadora de saber, con la fe en el inquirir, que alientan en el
poema final de *N.S.*, "La puerta": "Y yo delante de esta puerta, /
de esta pesada puerta, / pregunto". (vv. 35-36-37); y sus últimos versos
(vv. 52 a 56): "(...) / esta puerta cerrada que yo quisiera ver entre la
noche abrirse, / girar despacio, / abrirse en medio del silencio, /
abrirse sigilosa y finísima, / en medio del silencio, abrirse pura."
(*N.S.*, págs. 108 a 111). La puerta de la Plaza Mayor de Madrid que
inspira el poema que hemos recordado, traslada simbólicamente su
significado a la del acceso al conocimiento, a la de la "cancela" que
conduce a la verdad, tal vez la de un posible Más Allá, siempre
incógnito.
vv. 5-6: Ver Introducción, págs. 46-47.

reconsideras con pulcritud, en la insinuada
[oscuridad,   10
el lóbrego quehacer de tu vida, la recomenzada labor
que diariamente se deshace, como en un sueño
[inútil alguien
ante el auditorio burlón
avergonzado mira, sin comprender su incapacidad
[para decir al fin la frase
que lo guarde de la noche y del miedo.   15
Oh, en esta hora, vergüenza es acaso también
[lo que sube del pecho,
lo que acaso te ahoga, y miedo,
miedo o un oscuro terror, un algo indescifrable
que del abismo asciende incógnito,
una oscura llamada cuyo origen ignoras,   20
como ignoras la luz y la tiniebla, el miedo
o la vergüenza, o cuanto ahora de súbito,
cuando la noche se ha instalado,
experimentas en tu corazón, más que nunca de hombre,
que una mano en la sombra estruja amargamente.   25

LA CUESTIÓN

* *"... oh Dios, oh Centro."*

A Vicente Puchol

Sí, lo sabemos: quieres hallar el secreto recinto,
el invulnerable reducto,
entrar por algún agujero al increíble espectáculo,
penetrar en el laberinto, hallar el poderoso Centro.
Como un ladrón que robase la totalidad de la luz,   5
hallar, como digo, el Centro poderoso,
                [el absoluto Centro,
el Centro inmóvil de la tempestad que se mueve,
Centro donde nada se agita,
donde todo se absorbe, como el amor, y se detiene
                [en sí mismo,
no al borde de sí mismo, sino acabado y lleno,   `10
rebosante como una copa de aparición,

* El epígrafe recién aparece, con evidente intención aclaratoria, en
A.P. y en *S.V.* Se respeta su inclusión en esta edición definitiva, por
indicación del autor.
v. 3: Remite al tema bíblico del "ojo de la aguja", que vuelve a
    desarrollarse en vv. 20 a 26 (Ver Nota a "Cuestiones humanas acerca
    del ojo de la aguja" de *O. en la C.*). Todo el poema es pródigo en
    vocabulario religioso.
v. 9: En *T.N.,* "amor" se escribe con mayúscula. Es la variante más
    importante con respecto al texto que se fijaría para *M.L.*
vv. 11 a 15: Carlos Bousoño se ha referido a estos versos (*P.P.*, págs. 206
    y 223) señalando su técnica acumulativa ("proliferación" o "prolon-
    gación"), a partir de la identidad "Dios: copa de manifestación" y
    "(...) su divina omnipotencia como el crecimiento interminable de esa
    copa (...)". Esa "copa" encierra una clara alusión al copón de la misa
    católica, en el momento en que es levantado o alzado.
v. 27: *Charada.* Ver Introducción, pág. 31.

como una enorme copa de manifestación que creciese,
como una ola que siguiese encrespándose más allá
                    [de los límites de su plenitud,
más allá de los horizontes de su posibilidad;
y siguiese creciendo después, allende los días
            [y el espectáculo del exterminio, y el horrendo
                [saber y el gozar y reconocerse perdido;   15
y siguiese creciendo en la duración sin memoria,
                            [hacia adentro, terrible,
como una cascada de perduración que cayese
                    [interior, un diluvio de bienestar,
una catarata de existencia sin fin que se
            [desplomase, parada, hacia su mismo centro.

Ay, toda la cuestión es entonces entrar en el laberinto,
toda la cuestión se reduce a pasar.   20
Advertid que se trata tan solo de un acto
                                [de penetración,
un sencillo traslado; acaso baste con un gesto,
                            [con una idea feliz,
acaso sea suficiente con hallar en el pajar la aguja,
o el camino en el bosque, o en el bosque
encontrar la salida   25
del agujero, dar con la clave del enigma,
la solución de la charada,

y descubrir el otro lado del abismo, el revés de la trama,
antes de que se desgaste el tejido
bajo los dedos tanteantes...   30

REMEMORACIÓN DE INCIDENTES

En una cueva de la memoria, en su larga llanura
                      [oxidada,
en su estéril cardenillo verdoso, en su desolado
                      [atardecer,
lento y un poco oscurecido como si fuese ya tarde,
como si nacer no hubiera sido posible
aquel remoto día, perdido en el confín;   5
e imposible fuese asimismo
el otro amargo día (no puedo decirte su nombre),
algo ladeado y ya en las afueras de súbito,
en el suburbio y el terrible descampado de súbito,
lívidamente azul de pronto;   10

con tazas desportilladas, abanicos devorados
                      [por la ansiedad,
relicarios de maderas envejecida, espejos,

---

v. 1: Sorprende, desde el comienzo, la idea de sueño o irrealidad que
connota lo vivido, nuestro pasado. Véase que la técnica utilizada
desde el comienzo, acorde a esta "rememoración de incidentes" es la
acumulativa. Las palabras "larga llanura *oxidada*", *"estéril cardenillo
verdoso"* (v. 2) ya aluden a la descomposición de la memoria en el
olvido.

v. 7: Alusión a la muerte.

vv. 11 a 16: "(...) horrendos maniquíes sin cabeza, (...)": imágenes
lacerantes del *des-concierto*, de lo *des-articulado* que implica el paso
del tiempo en la vida y en la rememoración de la vida.

miserables espejos de azogue saltado, horrendos
[maniquíes
sin cabeza, emisarios inmóviles de más allá del río
solitario, emisarios sin brazos y sin cabeza,
[inmóviles, 15
y por eso no pueden sonreír;

y todo subía como una marea veloz por la memoria
[cárdena,
y todo subía amargamente cárdeno por el recuerdo
[de una noche,
trepaba por la penosa rememoración, por el jadeante
[ascender y acordarse
de una noche, saliendo de la sombra, un momento
[tan sólo; 20
reconstruir aquella adoración
hecha de pétalos, de palabras y polen de palabras,
[de cansancios o incrustaciones lamentables,
[quejidos,
de quemaduras y desolaciones
junto a un andén que no llegaba nunca como si fuese
[un tren,
un tren de súbito como si fuese aquella adoración. 25
Y todo en la memoria se retorcía agitado
[por el vendaval,
como un gran bosque movido por la ira de un
[huracanado renacer.
El parto terrible de la memoria era el viento,
la noche terrible de la memoria se llamaba aquilón.
Todo vibraba y era movido por una propagación
[llameante 30
que fulguraba en medio de la tempestad y se extendía
[y encrespaba en la música,
vibraba entre los acordes de una multitud de guitarras,

vv. 24-25: Ver versos 38-39-40 de "Alba de la muerte" *(M.L.)*.
vv. 26 a 30: Resumen de la idea central del poema.

sonando en el estruendo de un día terso y limpio,
                                        [destrozado
tan secamente como un espejo en una habitación.

Ay, en la oscuridad, atenazados por el deseo,   35
dos cuerpos se buscaban a tientas como si fuese
                                        [posible vivir,
como si la verdad existiese en la tiniebla oscura
y hubiese que buscarla apretando una carne duramente,
y hubiese que buscarla atravesando duramente
                                [la interminable oscuridad
de una carne, toda una noche larga, y más allá
                                [quebrase ya una luz: 40
el alba hermosa y pura donde todos
existen otra vez,
salvados y otra vez, vivos, salvados...

...Y he aquí que nosotros, aún no salvados, vivos,
golpeamos la sombra, en medio de la noche...   45

v. 35: La variante más importante con respecto a *T.N.* es el agregado de
puntos suspensivos en el comienzo del verso 35. Se respeta *M.L.*

*SIÉNTATE CON CALMA EN ESTA SILLA

A Toni Puchol

Siéntate con calma en esta silla, contempla la
    [naturaleza ondulante, los sobrellevados caminos,
los cerros, los anchos castaños robustos, los plátanos
    [de tu juventud;
recuerda tu juventud ya desvasnecida en la sombra,
perdida en un recodo del viento o en el sendero
    [que serpentea por la escarpada montaña;

siéntate en esta silla y mira cómo se oscurecen
        [las aguas,   5
cómo las aguas se agitan en el atardecer bamboleante,
cómo oscila y se balancea la lámpara de la habitación,
    [el interminable crepúsculo,
la respiración de las horas, el recuerdo de tu mocedad;
cómo se balancea el salón en que oscuro meditas,
cómo las altas sillas resbalan, cómo vienen hacia
        [la oscuridad,   10
cómo los butacones de la habitación entrechocan,
    [cómo cruje el testero,
cómo se mueve y boga hacia lo oscuro el recinto
    [en que yaces, las altas paredes inmóviles,
    [el pesado arcón de la entrada,
    [el mueble de nogal y la mesa;

---

* Meditación sobre la vida del hombre, que es tiempo, a través de
metáforas y símbolos que relacionan el mundo de la naturaleza y de los
objetos con el del ser humano: todo se "bambolea" (v. 6) porque nada es
firme y seguro en la vida.

cuán lentamente van entrando en la sombra las cosas
                [de madera y metal,
los instrumentos de la labranza, los artefactos
                [del reconstruir,
las tenazas, el martillo y el clavo;   15
cómo en la penumbra penetran el lancinante amor,
el alto precio con que pagaste el regocijo, la escarcha
            [en el amanecer tras la noche de fiesta,
tu despertar sobresaltado en la pesada siesta de agosto,
tu renacer y tu morir a diario;
cómo se desconchan los muros, cómo se raja
               [el cántaro; 20
cómo se interrumpe en la noche, con intermitencia
              [angustiosa,
el trajinar de la hilandera, la entrada del hilo en la aguja,
el ir y venir del afanoso émbolo, del sencillo estar
             [en tu alcoba;
anda, siéntate en esta silla, ponte cómodo, escucha
cómo se apaga hondamente el murmullo del
         [bosque, cómo calla el jilguero, 25
mientras por el resquicio de la rota tabla del
             [desván atraviesa
el largo silbido del viento en el quieto verano.

vv. 22-23: Alusión a la mítica imagen de la hilandera y su rueca, que va
devanando el tiempo.
vv. 24 a 27: La acumulación de imágenes auditivas —ver su traslación
simbólica en Introducción, pág. 47— que anuncia el verbo "escucha", adquiere aquí una ambigüedad esencial que contribuye a la
sensación de misterio tan marcada en el final: la "quietud" puede
simbolizar tanto la muerte como la posibilidad de un Más Allá.
v. 27: En *B.*, el verso termina con puntos suspensivos.

II

LAS MONEDAS CONTRA LA LOSA

LA FERIA

A Louis Bourne

...Y cuando yo ya esté desvanecido, o dicho, o clavado
[en una pared,
o extendido en una platina, o encerrado en una vasija,
[una probeta, o simplemente un vaso de cristal;
o acaso en una fórmula o en una idea
feliz, algo duro y metálico, en fin, que pudiese
[resplandecer
o solamente sonar   5
por percusión, si queréis, o artificio
de una mano perita;
algo duro, repito, o bien tenso; algo como un
[tambor, un enorme tambor que sonase
[con un regocijo
estruendoso, para la alegría del niño,
para entretenimiento de la niñera o del aguerrido
[soldado...   10
pasad, pasad y veréis en el barracón el suplicio
[de la estantigua,

---

vv. 1 a 10: Visión desgarradora de la muerte del hombre por su carácter
    despiadadamente ridiculizador: irónicamente, las enumeraciones van
    mostrando una suerte de despreciable Juego en el que, aunque
    tácitamente, Alguien (o Dios) experimenta cruelmente con nosotros
    pues nos mata, tratándonos —como el entomólogo cuando "clava"
    una mariposa— como si fuésemos cosas y no personas. Desde la vida
    —"este asfixiante día de feria", v. 25— asistimos al espectáculo en el
    que esta clase de monstruos es exhibida.
v. 11 a final: Enumeración de aconteceres o hechos absurdos o ridículos.

el reconocido esplendor del monarca más elevado
                    [en un pedestal de madera,
el artificio de la condesa que más ama a un caballo,
contemplad a la anciana más afectada por la
    [más incesante o más caudalosa rememoración,
la doncella más definitivamente sensible al
                    [requiebro más delicado o más largo   15
y al gordo acosado de más cerca por su fiera carne;

pero, pasad, no quedéis en el umbral titubeantes,
                    [apresurad la compra del billete,
o no respondo de que podáis ver en seguida
al coronel que ha resistido más la tentación de morir,
al rey que ha sabido mejor comprender la tabla
    [de multiplicar, el abecedario absoluto, la Guía
        [Telefónica de Madrid en riguroso orden
                    [alfabético de calles y avenidas,   20
entrad sin demora al espectáculo del funcionario
    [público que ha adivinado más rápidamente
                    [y mejor su desgracia,
el del condenado a muerte más hermoso del mundo,
    [la lamentación más sonora del alcalde más alto,
y, en fin, la reunión más conspicua de todos
                    [los adelantos mejores
en este asfixiante día de feria.   25

ALBA DE LA MUERTE

¿Quién eres tú, crepúsculo indeciso, tras la noche
            [del tiempo ahora empapándonos,
en que mojados de indignidad volvemos
de nuestra zozobra a nuestra desazón, de la dicha
                  [al cansancio
diariamente, repetido espectáculo,
turnos de furor y de sueño, de felicidad y vileza,   5
tedio y astucia renovándose,
o de desesperanza y de miedo?
¿Quién eres tú, tras el saludar y el querer,
quién tras el repartir y el aceptar y el moverse,
el inmóvil moverse, o el no moverse e irse,   10
callarse, estarse, haberse?

¿Quién, tras la noche, hacia el amanecer,
            [como un estampido en el hueco,
espantosamente florece, echa rosas de súbito y fuera
                    [de estación fructifica?
¿Qué estridencia rompe el silencio?

---

v. 13: En *M.L.* el v. 13 aún no se ha desarrollado y dividido. Su versión
era: "(...) / espantosamente florece? ¿Quién canta? / (...)." Seguimos
S.V., por indicación del autor.
v. 13: El desarrollo de "florece" ("echa rosas de súbito y fuera de
estación fructifica") alude a la esterilidad de esa floración, pues es la
muerte.

                               ¿Quién canta?
¿Es el gallo de la explosión matutina, el señor
                [de la extensión desierta, el príncipe
                          [sin coronación y sin ley   15
en el pueblo sin nadie? El arenal sediento, la
       [calcárea reverberación sobre la piedra, el iris,
y allí se escucha de pronto, como digo, el cantar
del gallo sempiterno del amanecer más continuo.
Pues el amanecer ha empezado
al mismo tiempo que la noche, y sin fin,   20
está ahí, paralelo,
al otro lado de la noche y simultáneamente a ella,
amaneciendo sin cesar, hambrientamente amaneciendo,
recuperando con rapidez para el terrible amanecer
                                            [sin fin,
avaramente,   25
la forma de la ola y nuestra mutación y nuestra cúspide,
y en la batalla, el estertor, la ley,
y en nuestro despertar, tras el cansancio,
el amor mismo,
el amor mismo leve,   30
puro y tan leve como un acto de amor puro como
                                        [el amor,
enamorados, con amor, tan juntos,
quietos en la penumbra, amados...

Velozmente en la aurora todo penetra y es.
En la aurora terrible todo penetra y es.   35
La aurora se enriquece de formas que penetran
y que son en la aurora. Flotan entre la luz,
                                    [equidistantes,
restos de indagaciones, ecos
de imploraciones, cánticos. Aquella crispación

---

v. 15: El "gallo" que anuncia la nada al "pueblo sin nadie" (el reino de
    la muerte).
v. 27: La "ley": la muerte, que hace suyo (vv. 23 a 26) todo lo que ha
    sido vida, claro que en forma de "restos" o "ecos" (v. 38). Repárese
    en las fórmulas de concretización de lo abstracto.

en el andén humoso. Aquella voz   40
y el grito aquél
entre la muchedumbre inalcanzable. Y rumores y manos
que se alzan. Y el fusilado contra el muro
está, y el redimido contra el muro
está, y está el fusilador y el redentor.   45
Y todo igual está.
Y, repentinamente, la aurora ya no está cuando
                                        [en la noche,
a lo lejos, de pronto,
tempranero, entusiasta,
se oye cantar un gallo.   50

v. 40: Ver v. 24 de "Rememoración de incidentes" *(M.L.)*.
vv. 46-47: Hay espacio interestrófico en A.P. Vuelve a desaparecer
—repitiendo edición *princeps*— en *S.V.* Respetamos la última versión.
v. 47: En *A.P.* comienza con puntos suspensivos. En *S.V.* se repite
edición *princeps*. Respetamos la última versión.
El vivir es "noche" porque es sufrimiento; por consiguiente su contrario,
la muerte, es "alba", con todas las connotaciones ("gallos que
cantan", etc.) que ello implica.
vv. 47-48: El poema se cierra con un juego de traslación espacio-
temporal, y "repentinamente", otra vez en el reino de la vida —"la
noche", v. 47—, un gallo "tempranero, entusiasta", recuerda sinies-
tramente el otro gallo, el de la muerte, para que no olvidemos que
vivir es un engaño.

*LAS MONEDAS CONTRA LA LOSA

...Que están contados los latidos de tu corazón,
   [las acacias en flor, las margaritas de la
                         [primavera, los llantos
sepulcrales; contadas en la oscuridad
y sonadas contra la losa, en minuciosa comprobación,
las monedas de tu vivir, una a una.
Mira cómo tintinean sobre la piedra, y cómo
                  [son apartadas en oscuro montón   5
de un solo golpe rápido por la mano del
                              [mercader astuto.
Y te sientes contado e infinitamente narrado
por la misma voz que repite tu nombre
en la oscuridad, una vez y otra vez.
Y eres como un soplo de aire,   10
una burbuja que se llena de vaciedad insólita,
una pompa de viento enormemente hinchada de noche,
soplada y ahincada de noche, deformada
   [y agrandada de humo, henchida de vacío y
                              [de miedo.

* En *T.N.*, págs. 14-15, se titula "Horas contadas". Ver Introducción.

vv. 1 a 6: Ver Introducción, págs. 29-30-31.

vv. 10 a 13: Aquí la idea de insustancialidad que encierran los símbolos "burbuja" o "pompa de viento" se halla reforzada por todo el contexto.

Y escuchas que alguien cuenta lentamente tus horas,
y exquisitamente las cuenta y las repasa y las paladea
                                        [y las pule,   15
como piedras de río o madera de sándalo;
las pule y las hace exhalar con escarnio un olor
                                        [que es doctrina,
y las hace brillar y esclarecer, y es escarnio.
Pero no mires ahora hacia el lugar donde se te
                                [avergüenza y desnuda
y desposee, y sin voluntad te abandonas y te
                                        [dejas robar   20
hondamente. Y has de entregar allí un corazón
                                        [que amaba,
un ojo que miraba y un oído que oía,
la boca que reía y que gozaba.
Y has de entregar el valle con sus nieblas,
el aire con sus brisas,   25
el río, el odio, el llanto.

...Y pues el agua suena y la cosa es así y el aire gira
tan delicadamente aún y sus hilos extiende,
no des un paso más, pues contados están cuantos dieres
y es tu vivir lo que está en juego,   30
amigo. Contempla
a barlovento las gaviotas. Vuelan
alrededor de ti. Pero no mires. Piensa
que tus miradas, una a una,
han sido enumeradas   35
también. No gastes más palabras. Todos
los vocablos
están sabidos. Échate
sobre la cama inmóvil. Cierra los ojos fuerte-

---

vv. 24-25-26: Estos tres versos con probables reminiscencias biográficas
    (la niñez: "el valle con sus nieblas, / el aire con sus brisas, / el río, (...)"
    y la madurez: "el odio, el llanto"), parecen decirnos: "Y has de
    entregarlo todo, toda tu vida."
vv. 39-40: *A.P.*: ojos / fuertemente (...). *S.V.*: forman un solo verso. Se
    respeta ed. *princeps* como definitiva por indicación del autor.

mente. No llores, pues tus lágrimas,   40
una a una, contadas
han de estar. No sueñes, no acaricies,
no mudes, no desdigas,
no propicies,
no cantes.   45
Ni siquiera susurres como un río o un viento
en el atardecer de un junio lento y lánguido...

vv. 46-47: El trágico nihilismo de todo el poema (hay once adverbios de
negación desde el v. 29 hasta el final) lleva a la supresión del accionar
del hombre: o porque es inútil, sea cual fuere, o porque el no realizar
ninguna acción expresa el deseo de que el tiempo no pase, nos
sumerge en esa falaz ilusión.

EL RÍO DE LAS HORAS

(Tiempo en las cosas)

> * *"El tiempo está en las cosas, en*
> *tus dedos, en esa mesa de nogal..."*
>
> C.B.

Como si la maldad físicamente existiese,
tal un objeto, un útil, o una forma
dura y tenaz,
tocable y abarcable;

así, pero quitadas toda solidez   5
o tenebrosa sensación,

---

* El epígrafe recién aparece en *A.P.* y luego se repite en *S.V.* Se
respeta en la edición definitiva, por indicación del autor.
v. 1: "La maldad": el tiempo.
Ha dicho Carlos Bousoño a propósito de la fusión metafórica
"río = tiempo + cosas", que la primera metáfora "río = tiempo" no
presenta novedad, hasta que la auxilia la segunda "(...) nacida de la
consideración ("intelectual", como digo) de que el tiempo no es nunca
percibido abstractamente por nosotros, sino de manera concreta en las
realidades, en los objetos y en nosotros mismos, que son los que y somos
los que envejecemos y mudamos. El tiempo está, pues, en las cosas, es de
algún modo, en ese sentido, las cosas mismas, o finge serlo, (...). En este
caso, el desarrollo metafórico lo que despliega y ensancha es el conjunto
formado por las dos metáforas "tiempo = río" y "tiempo = cosas", o sea,
"tiempo = río y cosas", conjunto considerado como un todo híbrido
(...). Veamos. La cualidad propia del "río" es el flujo, el movimiento; la
cualidad propia del armario es el reposo. Como el "tiempo" es un "río"
tanto como un "armario", nos las habremos aquí con una criatura, el
"tiempo", que gozará de las cualidades, lógicamente inconciliables, de
moverse y de no moverse (...). He ahí la sorpresa, que la fusión
metafórica, al desplegarse, lleva consigo (...). (*P.P.*, págs. 200-201.) Esto
explica el estilo paradojal del poema.

quietamente fluido, pero no como el agua y mucho
[más que el viento,
oscuro, sin ser exactamente la ceniza,
transparente más allá del cristal,
irreversible como una espina,   10
avanza
en la noche,
implacable, este río.

Avanza silencioso, imperceptible
entre mis dedos, simulando su forma,   15
precisamente cual si fuesen dedos;
con astucia, disfrazado de armario,
avanza por la habitación,
avanza inmóvil como un ataúd;
finge ser ataúd, arzobispal   20
reposo, quieta constelación,
ardiente llama y frenesí...
Inmóvilmente se arroja o determina
como cama de roble en el silencio ambiguo
[y la inmovilidad de la sábana blanca;
finge ser moribundo y luego muere en él,   25
como si hubiese muerto, y sigue andando...

vv. 25-26: Juego de palabras que resalta la idea de que el tiempo es lo
    único que no muere.

*ELUCIDACIÓN DE UNA MUERTE

...Fuese todo como si el libro, no terminado de
                      [leer, continuase aún allí,
en la mesa, que permanecía
inalterable sobre el mismo suelo
de madera de roble,
que duraba también. Todo lo mismo   5
en el comienzo, cual si fuese difícil habituarse
a una perpetuidad feliz. Pero los bordes
de la mesa o del libro
empezaron muy pronto, poco después tan sólo,
                   [a hacerse sospechosos
de parpadeos, de perplejidades,   10
de rendiciones y cancelaciones,
o al revés, de promesas, de cambios, de matices
sinuosos, curvos acaso por el lomo o el pie;
sospechosos, repito,

---

* Minuciosa descripción —"elucidación"— del trance de la muerte,
de esa frontera que separa el aquí del allá. Nos ha dicho Carlos Bousoño
que se trata de un recuerdo de su padre moribundo, en estado de coma.

v. 1: "Libro". La palabra, que puede tener su significación real, como
    el poema deja entrever inmediatamente, creemos que se enriquece
    también con el significado de "vida", que es historia o el "texto" que
    vamos narrando. También este plano imaginario puede corresponder
    a la significación de los versos que siguen y fusionarse con el anterior.
v. 7: Quien observa detenidamente al moribundo, imagina una "perpe-
    tuidad feliz", una muerte supuestamente salvadora.
vv. 10 a 18: La realidad empieza a desaparecer para el "inmóvil". Se
    imaginan cosas misteriosas o extrañas que pueden estar ocurriéndole.

189

de algo como fosforescencias retardadas,
[o de iris   15
suaves, resplandores
astutos, sólo insinuados por el extremo hábil
y sofocados pronto, aún más tal vez, incluso, para el ojo
del inmóvil, que todo lo miraba
todavía   20
desde la orilla
aquélla,
del otro lado
que era este lado mismo,
pues nada había, al parecer, allí que fuese   25
mensurable, aunque todo lo era de otro modo
más grave hacia sí mismo,
y cada cosa continuaba idéntica
a su más hondo ser, a su más entrañable
conciliación de sombra, pero con un sosiego tan
[pausado   30
que podía escucharse
y sonar duramente en el silencio;
que podía decirse en el silencio
de la amplia realidad en que caía
continuamente, como un chorro puro   35
de atardecer enajenado. Así
cada objeto iba entrando poco a poco,
sin moverse,
en la diafanidad lenta de otro lugar que era este mismo
lugar,   40
y, sin embargo, no lo era.

El libro continuaba
allí, sobre la mesa, fiel a sí mismo,
pero, no obstante, titubeaba o desaparecía

---

vv. 28 a 32: Para el moribundo, las cosas empiezan a ser lo que
    verdaderamente son, fieles "a su más entrañable conciliación de
    sombra".
vv. 44 a 54: El término "calderones" explica el sentido de estos versos: la
    interrupción del ser.

a veces, un momento, ausentándose   45
parcial o totalmente,
como si no pudiese resistir
más que de un modo fragmentario,
intermitentemente,
alguna oscura tentación   50
crepuscular,
cierta atracción remota. Ocurría lo mismo
con la mesa. Todo era como una melodía
que impusiese frecuentes calderones
a su sentido más oscuro. Todo   55
volvía, sin embargo, a su ser,
todo caía
en su mismo cansancio,
todo recomenzaba,
ahincándose   60
otra vez y otra vez
en su pesada realidad,
en su resistente materia,
en su insistente forma de reconocibles cuidados,
aunque fuese   65
a cada ocasión más penosa
la llegada al hogar, el regreso, la continuación
                                        [de la frase
sonora, interrumpida,
que nos decía algo,
que estaba a punto de decir   70
algo definitivo en el atardecer,
o en el jardín de rosas, o más allá del mundo;
que estaba a punto, cuando
el silencio se hizo
más hondo. Alguien   75
aplicó entonces su oído para oír,
y su ojo entonces aplicó para ver,

vv. 71-72: El moribundo puede, quizás, revelarnos el Más Allá. Clara
alusión al paraíso: "jardín de rosas".

pero nada llegó, nada se oyó o se vio
en el largo salón donde el muerto, difícil,
definitivamente moría. 80

v. 79: "Difícil." Porque la llegada a la muerte ha sido muy lenta, como
"El largo salón" que le corresponde simbólicamente.

III

INVESTIGACIÓN DEL TORMENTO

I

Toda emoción se origina y se hunde en la
    [realidad, arraiga como un árbol en ella, y de ella
        [vive y se nutre, la representa y pone
como un actor en el escenario, o un hábil diplomático
en el salón del trono. Por eso podemos empezar
    [por decir, cuando hablamos de ella, que a veces
la emoción ha de vestir uniforme y representar un
        [papel en la sociedad, e incluso no asombra
verla ostentar medallas, entorchados o cruces.
                        [Todo eso   5
es natural en su oficio de mediación, de suasoria
                                embajada.
No la debéis llamar entonces desconsiderada,
                [azarosa, caprichosa, arbitraria,
nombres que convienen tan sólo
al indisciplinado intelecto razonador.
Ella, en efecto, al revés, sigue ordenadamente
        [una pauta, obedece un dictado, interpreta
        [concienzudamente la vida. En verdad,   10
siempre nos dice algo, sabroso y repentino,
sobre la realidad que examina. Tiene rigor de axioma,
pero no sólo eso: deduce sin titubear, no vacila
como la claudicante razón, menesterosa, torpe,

vv. 4-5: Desarrollo independiente del plano imaginario. (Carlos Bou-
    soño, *P.P.*, pág. 195).

195

indecisa. Es saber instantáneo, como un relámpago
                                    [de lucidez 15
sensible, en mitad de la noche, y hermosura
expresada del mundo; es un decir
secreto entre la sombra, esto es, a plena claridad.
                        [Es pensamiento
de tan reconcentrado,
invisible; de tan puro,   20
volátil, como aroma
de rosa, exhalado de un pétalo, de un estambre,
                                    [de un hilo
de luz, o corola, o ensueño. Es sapiencia
suprema, que al servicio
de la realidad se enmascara, para ser eficaz,
            [de disparatado trastorno, finge locura,
                [exige reja delirante, 25
cuando es, por el contrario, meditación
más allá de toda formulación
impertinente. De hecho, aparece como reflexión
agilísima, tal los ángeles   30
según Santo Tomás (pero de otra manera
más sutil), aunque a veces esta reflexión pueda
                            [ser espantosa:

vv. 30-31: El "Tratado de los Ángeles" de Santo Tomás de Aquino, "De
    los Ángeles", ocupa desde la cuestión 50 a la 64 (*Suma Teológica*, op.
    cit., Tomos I y II, págs. 605 a 949).

v. 32: Desde el verso 1, en el que se enuncia una verdad científica, hasta
    aquí, se desarrolla un pormenorizado análisis de la emoción como vía
    "axiomática" de conocimiento (emoción = teoría, explicaría el mismo
    Carlos Bousoño); a partir de ahora, el análisis se centra en el dolor o
    el "tormento" que nos conduce "por el parsimonioso sendero de la
    verdad". "Como se ve, el paralelismo entre poema y tratado llega
    hasta el pormenor de tomar un ejemplo ilustrativo tras la exposición
    doctrinal. Si toda emoción es ciencia, (...) la del tormento será una
    ciencia "en llamas"; será "proposición", sí, pero "diferida" (pues el
    dolor hace que el tiempo pase en nuestra psique con gran parsimonia):
    será la suya una "teoría", pero una teoría "minuciosa, ordenada, que
    examina lentísima, con esmero y escrúpulo exagerados cada porción
    de realidad adquirida (...)". (Carlos Bousoño, *P.P.*, págs. 196-197).

así, cuando sufrimos tormento y nos duelen,
      [unánimes, las raíces del ser, y uno a uno
                   [(ahora sí, lentamente),
todos sus (ahora sí) reconocidos tentáculos. Todos,
sin dejar en olvido una mota de polvo sobre
                  [la levedad de un cuidado.   35
El dolor del tormento es, de este modo, una proposición
infernal, diferida; ciencia en llamas
mortales, levantado
decir sosteniéndose
en vilo   40
sobre el ascua
extrema;
teoría, pero una teoría
interminable, extremadamente minuciosa, ordenada,
que examina lentísima, con esmero y escrúpulo   45
exagerados
cada porción de realidad
adquirida,
y avanza un poquito tan sólo por el parsimonioso
                              [sendero
de la verdad   50
difícil,
para volver a empezar otra vez,
y otra,
no fuese que la suave
pinza, la antena   55
tanteante,
haya olvidado
quizás
un recodo, un menudo
pormenor, una arenilla   60
pálida,
en el largo camino que se pierde a lo lejos...

vv. 49-50: En *M.L.* el verso 50 formaba parte del 49. Lo mismo en *A.P.*
y *S.V.* La modificación ha sido indicada por el autor para esta edición
definitiva.

II

Y es así como el dolor del tormento resulta ser
                      [detallada revelación
de invisibilidades, extraídas y expuestas como una
                      [durísima conclusión;
conclusión o enunciado   65
exhaustivo, cuya mera existencia
niega todos los otros por anulación,
subitánea, los pone cabeza abajo sobre el abismo,
y los hace brillar al revés, lentamente, hasta
                      [la extenuación,
en una radiación hacia nada.   70

El dolor del tormento es entonces indagación
                      [en la insignificación de la vida,
cuantioso examen de su realidad más profunda
                      [que empieza por reconocerle fronteras,
los fosos donde comienza el castillo roquero, los muros
                      [levantiscos de la inenarrable ciudad,
tan dificultosamente erigida.
Y he aquí que ha llegado la hora del asalto
                      [a los torreones,   75
el momento del ataque por sorpresa, al pie de la
                      [muralla, poco antes de amanecer,
la hora de la ciudad sitiada, la hora de la verdad
                      [aprendida
poco a poco hacia adentro,
retrocedida amargamente hacia adentro,
como un inacabable y tumultuoso quehacer.   80

v. 76: En *A.P.* y en *S.V.* se lee "del amanecer"; con uso de contracción y
    punto y coma al final de la expresión. Aquí se repite la edición
    princeps, por indicación del autor.
v. 77: El desarrollo imaginario independiente de la metáfora vida = ciu-
    dad (vv. 71 a 77), que enriquece la dimensión lírica del final de este
    "tratado", se resume en el verso 77: la verdad es el dolor, el único que
    revela los límites de la "ciudad sitiada", el amargo saber sobre la vida.

IV

*AL MISMO TIEMPO
QUE LA NOCHE

LETANÍA PARA DECIR CÓMO ME AMAS

Me amas como una boca, como un pie, como un río.
Como un ojo muy grande, en medio de una
                              [frente solitaria.
Me amas con el olfato, los sollozos,
las desazones, los inconvenientes,
con los gemidos del amanecer, en la alcoba los dos,
                              [al despertar;   5
con las manos atadas a la espalda
de los condenados frente al muro; con todo lo que ves,
el llano que se pierde en el confín, la loma dulce
                              [y el estar cansado,
echado sobre el campo, en el estío cálido,
la sutil lagartija entre las piedras rápidas;   10
con todo lo que aspiras,
el perfume del huerto y el aire y el hedor
que sale de una pútrida escalera;
con el dolor que ayer sufriste y el que mañana
                              [has de sufrir;
con aquella mañana; con el atardecer   15
inmensamente quieto y retenido con las dos manos
                              [para que no se vaya a despertar;
con el silencio hondo que aquel día, interrumpien-
                                                 do
                              [el paso de la luz,

v. 15: En *M.L.*: "mañana,". Se sigue *S.V.* por indicación del autor.

201

tan repentinamente vino entre los dos, o el que
          [invade la atmósfera justo un momento
antes de la tormenta;
con la tormenta, el aguacero, el relámpago,   20
la mojadura bajo los árboles, el ventarrón de otoño,
las hojas y las horas y los días,
rápidos como pieles de conejo,
como pieles y pieles de conejo, que con afán
          [corriesen incansables, con prisa,
hacia un sitio olvidado, un sitio inexistente,
                    [un día que no existe,   25
un día enorme que no existe nunca, vaciado y atroz
(vaciado y atroz como cuenca de ojo, saltado
          [y estallado por una mano vil);
con todo y tu belleza y tu desánimo a veces
          [cuando miras el techo de la alcoba sin ver,
                    [sin comprender,
sin mirar, sin reír;
con la inquietud de la traición también, el miedo
          [del amor y el regocijo del estar aquí,   30
y la tranquilidad de respirar y ser.

Así me quieres, y te miro querer como se mira
                    [un largo río
que transparente y hondo pasa,
un río inmóvil,
un río bueno, noble, dulce,   35
un río que supiese acariciar.

vv. 23 a 27: Extremado desarrollo independiente de la metáfora "días
   como pieles de conejo". La mención de "conejo" y no "liebre", por
   ejemplo, mucho más adecuada a la idea de rapidez (v. 23), connota
   posiblemente el miedo y el espanto ante el paso del tiempo y ante la
   muerte, que es "el día que no existe" (v. 25), o "un día enorme que no
   existe nunca" (v. 26), comparado con horror con un ojo vacío.
v. 34: Ver nota a "El río de las horas" *(M.L.)*.

*LA RUINA

A Antonio Quirós

Echaste luz sobre la trama, sobre las tintas de colores,
te inclinaste sobre el quehacer,
aplicaste el oído suavemente al milagro,
y fue así como en medio del color se oía el gañido,
      [se escuchaba el estruendo de la vida,
      [el chirrido o el caos del hondo apetecer.

La luz era un escándalo, se pintaba los labios
      [la verdad, se disfrazaba de mendigo el honor,   5
la crueldad de sacerdote, el placer
se metía a arzobispo algunas tardes,
y se iba cojeando
ligeramente hacia el pasado nuestro afán de vivir.

Fue así como supimos que la vida tenía menos
      [concentración que la esperanza,   10
menos salud que sueño, y, sin embargo,
acaso por entonces y por eso,
al recordar en la mañana, tras la noche de espanto,
             [supimos renacer.

---

   * La congoja que trasluce todo el poema, dedicado a la pintura de
Antonio Quirós, se refuerza con imágenes tragicómicas y satíricas (vv. 5
a 9) que vuelven a recordarse en la enternecida y solidaria visión final de
la condición humana (v. 29: "sin cojear apenas"). Pese al aparente
mensaje esperanzador que encierran algunos versos (13, 14, 18, 20 a 27),
todo el contexto (vocabulario, imágenes) es significativamente sombrío.

Supimos, pese a todo, renacer, hechos a la memoria
                    [de la sal y del viento,
deleznables al humo,   15
frágiles de humedad como una cueva,
una honda cueva sola, una oquedad sin río bajo
                                [un aire sin sol.

Supimos renacer, y bajo nuestros ojos,
hechos al exterminio de tantas cosas bellas,
                            [asomaba muy tímida
la nueva relación.   20
Poco a poco agrandaba sus dominios,
su limitado hallazgo.
El oro se enlazaba con el miedo,
la dulce luz con la ansiedad,
la luna con el río de colores,   25
la congoja, el milagro del amor.
Iba todo muy junto hacia el atardecer, sin casi
                                    [dolor ya.
Parejas numerosas, abrazadas, queridas, ligeramente
                                [ateridas de sueño,
sin cojear apenas, con claridad aún,
enderezadas, leves,   30
hacia el consuelo de la sombra.

vv. 14 a 16: Ver Introducción, págs. 46-47.

*DESDE TODOS LOS PUNTOS Y RECODOS
Y LARGAS AVENIDAS DE MI EXISTIR

Al poner ahora la mano sobre el papel, me doy cuenta
de que yo no soy sólo ese hombre que medita
       [y tacha acaso una palabra, y la vuelve
           [trabajosamente a escribir,
sino también el niño que ahora mismo, en la
               [norteña tarde de agosto,
corrc pálidamente por la pradera, hacia el río,
siempre hacia el río dulce el niño corre,   5
pálidamente, infatigable corre
veloz, por el mismo sendero, sin moverse, incansable,
       [hacia el mismo lugar que le espera.

¿Qué es lo que veo ahora,
después, aunque hace mucho,
aunque hace mucho tiempo,   10
después, pero ahora mismo;

   * El hombre no sólo es su presente sino también, gracias a su
memoria, su pasado, y, de alguna manera, su porvenir: lo que pensamos
que va a ser o suceder, ya está en cierto modo en nosotros (el muerto
que seré, por ejemplo —v. 35—). Claro que sólo conservamos imágenes
fragmentarias, "restos" de lo que ha sido y por ser: de ahí la elección en
este poema de determinados recuerdos (el de la infancia, V.3 a 7 es uno
de ellos) o de próximos aconteceres (v. 31: "el viejo que aún no soy").
   Repárese en la técnica acumulativa en el análisis irracional o simbólico de las realidades (Carlos Bousoño, *P.P.,* págs. 202-203), a lo largo de
casi todo el poema.

qué palidez se extiende y se extenúa por el rostro
[de aquel
que hacia septiembre camina aún
ensimismado, hacia una meta oscura?

¿Quién miro, tras esto, marchar en busca de algo,
[yo no sé, de un raro pormenor, de un
[pórfido, un matiz,   15
un color, un olor de una flor,
y está llegando al fin
a lograrlo
como un pie que posase
hacia adelante   20
mas en camino que retrocediese?
Siempre llegando a algún lugar, y sin llegar jamás,
[como yo mismo ahora,
el niño va, el muchacho sonríe
a alguien, a quien desde aquí no puedo divisar;
el hombre sufre, el maduro suspira, el viejo ríe   25
de su propio dolor, de su ansiedad sin comunicación,
de su azar, de su ley...
El hombre niega, la noche se adelanta
desde su pie hacia el mundo,
pone la mano en el timón, navega.   30
Y al mismo tiempo, el viejo que aún no soy,
está ya contemplándome
ahora, mientras escribo estas palabras,
mirando fijamente mi rostro en la penumbra
[de esta alcoba,
y el muerto yace en el negro ataúd y alguien dice:
["Ya ha muerto."   35

Y en este instante, desde todos los puntos
[y recodos y largas avenidas de mi existir,
desde orillas de juncos, junto a lagos, en sueños,
desde sábanas hondas como abismos, cual culpas,
desde la profundidad misma del dolor,

desde cuartos de hotel, innumerables,   40
desde el quejido del amor en las noches de amor,
desde tu dulce amor y mi amor dulce,
desde la felicidad de haberte conocido aquella tarde
                    [de aquel día y amarte tanto hoy;
desde la noche, desde la esperanza;
en el amanecer, al ir a la estación   45
para encontrarte; al venir
por el campo, en el mar, sobre la arena;
desde el enfado y la reconciliación,
después,
al comprender, por fin, mejor,   50
mi error,
tu error;

en ese instante, o este instante, digo, desde todas
                    [las regiones de mi vida
en simultaneidad,
desde todas las bocas de la innumerable criatura
                    [que soñolientamente fui, que soy, que sigo siendo,   55
a cada momento cárdeno o estallado o propagado
                    [de mi vivir,
a cada momento, sin embargo, absoluto,
silencioso, entornado
como una puerta, entreabierto
hacia un jardín   60
de glicinas
o flores misteriosas, o deslizadas primaveras,
                    [o transportes, o dichas
extrañas,
desde ti, que navegas como un témpano blanco
                    [a un confín de dulzura,
desde todas las entonaciones y propulsiones y acen-
                    [tos de mi madurado y transfigurado vivir,   65

---

v. 40: La única variante de *S.V.* que, por indicación del autor, aquí no se
    sigue, es la eliminación de este verso. Se repite, por consiguiente, la
    edición *princeps*.
v. 59: Ver Nota a vv. 1 a 4 de "La búsqueda" *(M.L.)*.

mientras la noche llega y la noción se extingue,
estoy diciendo algo, que no entiendo, no oigo,
no pronuncio, no digo,
estoy diciendo algo, murmurando
algo, no sé,   70
a alguien, quizá,
que no sé quién,
quizás,
pudiera muy bien ser
o haber sido.   75

v. 71: Desde todas las circunstancias de la vida se dialoga con "alguien"
("Alguien") o con Dios, que no se sabe si existe, como bien revelan las
fórmulas dubitativas (vv. 70 a 74), y el alogicismo de la enunciación
final (v. 75). En *M.L.* "Alguien" llevaba mayúscula. En *S.V.,* versión
que aquí se respeta por indicación del autor, el uso de minúscula
devuelve al texto la ambigüedad necesaria.

EL GUIJARRO

A Elvireta Escobio *

I

Mira con ojo puro
a las cosas estar, el enigma
de su presencia misteriosa, hondamente improbable,
                                    [y junto a ti.
Porque un mero guijarro
es tan inverosímil como un ángel,   5
tan imposible como una deidad.

No puede ser que sea, y no pudiere ser, y, sin embargo,
el inverosímil guijarro
se obstina apareciendo contra toda razón,
te desafía como una blasfemia, y coléricamente   10
está siendo. Lo tocas.

Y puesto que su presencia continua ante tus ojos
resulta incomprensible y necia, y es como una
                                    [impostura,
te has puesto a imaginar otros modos de estar,
                                    [más accesibles
a tu desalentada inteligencia,   15
de ese guijarro milagroso que insiste frente a ti
como huracán que consistiese
en maravillosa quietud.

---

* Recién en *S.V.* aparece la dedicatoria "A Elvireta Escobio", que el
autor ha indicado conservar en la edición definitiva.

II

He ahí, pues, el redondo guijarro,
su don fluvial, su incesante   20
ser que se reconstruye
continuamente, como el río o el mar.

Podría hablarse
así
de criaturas que en instantánea ráfaga saltan
                          [al ser desde muy lejos,   25
con velocidad absoluta, cual las olas
salvan en un instante la infinita distancia de la nada
hasta el ser que ellas son.

Tempestuosamente y con espuma
marina,   30
en lluvia y viento y amarilla tormenta,
brinco salobre desde la nada pura
hasta hacerse guijarro
inmóvil, sólo un momento aún húmedo de niebla, a la
      luz de un relámpago.

Y caer   35
después entre la noche de la aniquilación,
para volver a hallarse de nuevo entre nosotros
ágilmente, todo en un golpe único, por la velocidad
de llamarada más ígnea aún que el fuego,
más rápido y ardiente que su sublimidad.   40

vv. 19 a 22: Ha dicho Carlos Bousoño, con palabras que aplica, aunque
indirectamente, a estos versos: "(...) Como la verdadera esencia de las
cosas es la nada, su existencia actual, por pura y comprobable que
pueda ser en el instante en que la miro, comparece, de hecho, en
precario ante mí, y resulta fruto de algo como un milagro que
innecesariamente habría de renovarse para que lo que es siga siendo
(...)". (*P.P.,* pág. 177). Estas palabras resumen el significado de todo
el poema, centrado en el enigma de la realidad, que es aparición o
"presencia continua" e insustancialidad al mismo tiempo.

Y eso de tal manera, y en parpadeo tan fino y tan
    [vibrátil, que lo que contemplamos
es la tranquilidad de una tersura
continua, el pulcro acierto mineral de ser
un modesto guijarro, monótono, inocente,
lavado en muchas aguas,   45
salvador de mis penas,
cuando aparece claro, quieto ante nuestros ojos,
ellos, sí, tan fugaces.

vv. 47-48: Ver Introducción, págs. 37-38.

EL RÍO SUAVE

El día, la semana, el año, el río
suave, que va lamiendo en su transcurso
interminable la rocosa vida
lenta, que desafía los crepúsculos;

esa caricia que muy lentamente   5
arranca sólo un grano de oro puro,
acaso una arenilla, acaso nada,
polen de flor, brizna de amor y musgo;

ese roce de espuma que se lleva
entre sus aguas sólo aquel arrullo,   10
cuando te amaba entre las olas solas
y te quería bajo el cielo único;

ese manso pasaje que es nonada
y dulce amor, que desmorona un punto
tan sólo la armoniosa arquitectura,   15
el ancho sueño, el anhelar oscuro,

la oculta Realidad, jazmín que huele
hacia una madrugada en el futuro
que ya está en él, y huele a madreselva
profundamente en la mitad del mundo;   20

v. 17: El autor ha indicado el uso de mayúscula para la palabra
   "Realidad", variante para esta edición definitiva.

Carlos Bousoño, poeta joven.

Poética

De un solo golpe hacer surgir las cosas
múltiples, simultáneas, como un río.
Decir "te odio", "no", "borrasca", "frío",
y entender, además, con eso, "rosas",

maravillosas rosas mariposas
del alma, fuego azul, extraño envío
de un pájaro que siendo atroz navío
fuese los aires y las olas rosas.

Que en tu palabra surja el mar o el viento
como huracán que, aquí, sopla en Bagdad.
Dentro de un siglo resonó el momento

este, en este reloj de esta ciudad,
veloz como quietud o arrobamiento.
Sé la mentira y séla de verdad.

Facsímil de poema autógrafo de *Las monedas contra la losa*.

todo esto y no más, y sólo un algo
de esto se va, como por algún brusco
agujero se iría la fragancia
quieta de unos jardines absolutos,

o cual de un frasco, allá en la estancia oscura,   25
que se dejase destapado un punto,
podría irse una felicidad.
Como un olor extraño a un raro mundo...

Desde la vida humana que es "río" o tiempo, se presiente "la oculta
Realidad, jazmín que huele / (...)" (v. 17); la intuición de la existencia de
Dios, vaga e incierta, escapa" (...) cual de un frasco, allá en la estancia
oscura, / que se dejase destapado un punto, / podría irse una felicidad"
(vv. 25 a 27). El final abierto de este poema refuerza su clara raigambre
religiosa, apuntada ya desde el título ("suave" sugiere un ámbito
propicio a la meditación, a la contemplación), la ceremonial procesión
de los cuartetos endecasílabos, y sus símbolos, imágenes y vocabulario
general.

IRÁS ACASO POR AQUEL CAMINO

Irás acaso por aquel camino en el chirriante atardecer
de cigarras, cuando el calor inmóvil te impide,
         [como un bloque, respirar.
E irás con la fatiga y el recuerdo de ti, un día
         [y otro día, subiendo a la montaña
          [por el mismo sendero,
gastando los pesados zapatos contra las piedras
           [del camino,
un día y otro día, gastando contra las
         [piedras la esperanza, el dolor,   5
gastando la desolación, día a día,
la infidelidad de la persona que te supo,
         [sin embargo, querer
(gastándola contra las piedras del camino),
         [que te supo adorar,
gastando su recuerdo y el recuerdo de su
         [encendido amor,
gastándolo   10
hasta que no quede nada,
hasta que ya no quede nada

El tema de la pérdida del amor se desarrolla aquí en un juego
temporal que abarca el pretérito, el presente y el futuro. Las repeticiones
a lo largo de todo el poema enfatizan la cólera, la sorda rabia de la
impotencia humana ante lo fatal (lo irreparable de la separación
amorosa), sensaciones que se trasladan en el final del poema (vv. 34-35)
a un ámbito más amplio: lo indefectible del paso del tiempo.

de aquel delgado susurro, de aquel silbido,
de aquel insinuado lamento;
gastándolo hasta que se apague el murmullo
                     [del agua en el sueño, 15
el agitarse suave de unas rosas, el erguirse de un tallo
más allá de la vida,
hasta que ya no quede nada y se borre la pisada
                           [en la arena,
se borre lentamente la pisada que se aleja para siempre
                           [en la arena,
el sonido del viento, el gemido incesante
                 [del amor, el jadeo del amor, 20
el aullido en la noche
de su encendido amor y el tuyo
(en la noche cerrada
de su abrasado amor),
de su amor abrasado que incendiaba las sábanas,
                    [la alcoba, la bodega, 25
entre las llamas ibas abrasándote todo hacia
                 [el quemado atardecer,
flotabas entre llamas, sin saberlo hacia el ocaso
                 [mismo de tu quemada vida.

Y ahora gastas los pies contra las piedras del camino
despacio, como si no te importara demasiado el sendero,
demasiado el arbusto, la encina, el jaramago,   30
la llanura infinita, la inmovilidad de la tarde
infinita, allá abajo, en el valle de piedra
que se extiende despacio, esperando despacio
que se gasten tus pies, día a día,
contra las piedras del camino.   35

SALVACIÓN EN LA MÚSICA

* A María Teresa Prieto

La música nos crea un maravilloso pasado,
              [nos instala en otro país
donde florece con naturalidad la cineraria,
       [o donde el carbunclo, escondido, reposa;
o nos inventa junto a un ramo de moradas
       [hortensias, próximas al más punzante azul,
o bajo un castaño, en una abrileña mañana.

Estamos mirando con intensidad esas flores
    [y nos damos cuenta de que somos más
      [lúcidos, más intensos de lo que solíamos,   5
nos sorprendemos extrañamente inmóviles mientras
         [nos agitamos y damos la mano a una
                 [antigua amistad
a la que jamás conociéramos;

---

* El poema está dedicado a María Teresa Prieto, compositora y tía carnal del poeta.

La música es identificada con un jardín-paraíso salvador a lo largo de casi todo el poema. Las imágenes de este vergel llegan a trasladarse metafóricameante al ámbito de la vida humana, transportada por aquél (vv. 26 a 30; v. 36; v. 53).

---

v. 2: Repárese en la culta formulación de cada paradoja u oxymoron, si nos atenemos a las etimologías de las palabras "cineraria" (que "florece con naturalidad") y "carbunclo" (que "escondido, reposa"): del latín "cinerarius-a-um, de ceniza", y del latín "carbunculus, rubí". Se le dio este nombre suponiendo que lucía en la obscuridad como un carbón encendido". (*Diccionario Lengua Española,* ídem).

o corremos con desesperación hacia la persona
[que amamos desde hace mucho, tras mucho
[acontecer y penar, en insomnios acongojantes,
[sobre arena baldía.
Corremos hacia la persona que amamos de ese
[modo,
bien que nunca supimos su rostro, ni nuestro
[corazón se conmovió ante su ser. 10
Estamos en un jardín donde todas las rosas
[resultan significativas,
o en una selva, donde el desorden no es caos,
[sino revelación de una hondura que precisa
[la declaración de un tumulto, abundancia
[de lianas que descienden perezosamente y con
[profusión calculada de árbol de la goma,
o del baobab o de la poderosísima ceiba.
Estamos aquí, o allá, o acullá, y somos esto o lo
[otro, miserables, reconcentrados,
condescendientes, altivos, fríos como el mármol,
[coléricos. 15
No tenemos identidad, pero somos
verdaderamente, a cada momento, en ajustada
[precisión,
en ráfagas de verdad absoluta, con entrecortada
eternidad balbucida, sonora, que no podemos
[suponer, en ningún momento, irreal.
Estamos en las ondas intermitentes de un
[viento de perennización 20
colosal,
que a cada instante nos asalta y modela
[en otra figuración y otro sino, a partir del
[cual podríamos iniciar nueva vida.
Es un sofocante siroco, o un tifón en la China,
una brisa moderadora sobre un vergel, un soplo
[de otoño.

---

v. 13: "Baobab. Árbol del África tropical (...)." "Ceiba: árbol americano
(...)." (*Diccionario Lengua Española* ídem.)

Caen las hojas amarillas del árbol, y el suelo
               [se cubre de espesor vegetal;   25
cae el amor, el odio, cae el humo
del vivir, lentamente;
en giros pausados la hoja del álamo cae;
la del chopo, tan inocente, la ancha del plátano
                    [en la alameda;
la hoja de la amistad y el rencor, la hoja
                    [de la indiferencia.   30

Y mientras esto sucede y todo cae
sobre la tierra, y llueve y hace frío, y el cielo
             [se serena después,
y hay sonidos puros de amanecer, y anochece, bajo
     [los árboles, en la inmovilidad del sotillo,
o en la llanura, inmensamente poderosa y quieta,
el ábrego sopla o el alisio o el viento marero
                 [o terral,   35
y somos soplados allí, y verdecidos, y vueltos
         [a florecer, congruentes al fin,
sin contradicción, como orbes
cerrados, como círculos, sin resquicios ni puertas,
               [parecidos a cálculos.
Soplan físicamente esos vientos o brisas, pero
     [lo hacen continuamente mucho más allá
         [del insignificante acontecer,
del insignificante nacer, amar, sufrir,   40
del insignificante no poder más ni resistir
       [al tormento del injusto torturador,
más allá, en fin, del insignificante envejecer,
          [del insignificante morir.
Pues ¿qué es la muerte en sí misma sino un ardid,
      [una trivialidad de la innecesaria materia?

v. 43: Este verso recuerda el título que puso Juan Luis Panero a uno
de sus libros: *Los trucos de la muerte* (1975). (Véase Panero, Juan
Luis: *Juegos para aplazar la muerte. Poesía [1966-1983],* Editorial
Renacimiento, Calle del Aire, Sevilla, 1984). Esta y otras semejanzas
("Al final de la noche", "Testigo de ceniza", por ejemplo, de II —"El
mar del otoño" de *Testamento del naúfrago*— 1983), harían interesan-
te un estudio comparativo de la obra de ambos autores.

Pero en ese otro espacio de oreo y continuidad,
no hay muerte sino significación del morir,   45
ni vida y nacimiento, sino sentido y ser.
Las cosas se hallan en una resplandeciente
        [relación filosófica, puramente semántica,
y allí somos inteligentes correspondencias,
                                [correlaciones,
tronos de resplandor inocente, pomos
                        [de suavidad y esencia,
olores metafísicos, bóvedas de amistad.   50
El padecer es luz cristalina; el engaño
es amor; el odio es la caricia de una mano
sedosa, exactamente como la celinda, o como
                        [la gratitud o el ensueño.
Y desde el otro lado, desde aquí, donde el viento
                [no sopla, desde la calma chicha,
desde aquí, donde nos restregamos inútilmente
        [los ojos para ver y aguzamos el oído para oír,
        [y el olfato para percibir los olores o la lengua
                        [para gustar,   55
desde aquí, donde el dolor nos duele y la rosa nos finge,
golpeamos las paredes de la iniquidad, arañamos
        [físicamente el muro de la lamentación,
para poder mirar por algún agujero el campo infinito,
donde soplan espirituales las brisas indolentes
        [de mayo y los serenos vientos de agosto.
Es la música: oídla.   60

v. 49: Según Santo Tomás de Aquino (*Suma Teológica,* op. cit.)
"tronos" es una de las órdenes angelicales.

*CORAZÓN PARTIDARIO

A mi hermano Luis

Mi corazón, lo sabes,
no está con el que triunfa o que lo espera,
        [con el juramentado mercader
que acecha el buen provecho, se agazapa, salta
        [sobre la utilidad, que es su querida,
busca ganancia en el abrazo,
obtiene renta de las mariposas y pone rédito
                 [a la luz,   5
cobra recibo por los amaneceres milagrosos,
por la cambiante gracia del color
de una invisible rosa apresurada,
dulce y apresurada
como si fuese un hombre o una llama   10
o una felicidad humana: sí.

Mi corazón no está con el hombre que sabe
de la verdad todo lo necesario
para olvidar el resto de ella,
satisfecho del viento, poderoso del humo, canciller
        [de la niebla, rey acaso,   15

---

   * Poema de elevado tono ético y de entrañable solidaridad con el destino doloroso del hombre, con su debilidad, con sus fracasos. Fue escrito con motivo de un penoso trance por el que atravesó el hermano del poeta, según nos ha explicado Carlos Bousoño.
vv. 15-16: Fórmulas paradojales para expresar la necedad e ignorancia del hombre "satisfecho", engreído por un poder que no sabe vano.

pero nunca de sí.
Mi corazón está con el que un día,
quitado el brillo breve, retirada la gracia que hasta
                              [allí le alentó,
en bajamar hostil todo cuanto nos hace
dulce la realidad, leve la vida, adorable la luz,   20
sabe decir: "no importa".

Mi corazón está con el que entonces,
en el vaso que una mano de niebla le tiende
                              [entre la sombra,
bebe hasta el fin, con lucidez,
sin amargura,   25
toda la hez del mundo.

Y luego, seriamente,
                    allá en lo alto,
mira, con ojo nuevo,
el cielo puro.

FORMULACIÓN DEL POEMA

Con la vida hecha añicos, despedazado el cántaro;
rota la soledad como una urna; la alegría
de aquella fina mañana, junto al mar,
destrozada porcelana de Sèvres; hermoso
plato de Talavera, la amistad y el amor,   5
hecho trizas aquí:
fragmentos duros de instantes, ruinas
                    [de primaveras, de crepúsculos, polen
de dicha, brillos repentinos de horas a la
                    [sombra del olmo, en el jardín,
por el suelo;
bordes cortantes de semanas, de días   10
afilados como cuchillos; lentos
minutos de zozobras y dolor,
reverberando ahora;
trozos de baldosas, cristales
de botellas y vasos   15
con interrumpidos dibujos de interminables meses
amarillentos o rojizos
(como el ardiente amor);

con todo eso, en adoración fulgurante,
                    [en quehacer lento,

vv. 19 a 36: Con los fragmentos, con los "restos" de la vida que
logramos conservar —idea que se formula en la larga enumeración de
vv. 1 a 18, y que resume el v. 1 (ver primera nota crítica a "Desde

222

en fervoroso tacto,   20
levantar nuevamente con pulcritud y esfuerzo,
    [sin que le falte nada, el muro, el pasadizo
       [(estrecho, oscuro) por donde fuiste
          [difícilmente penetrando
hasta llegar aquí,
llena de cal la ropa, y el aliento
mísero; volver a levantar el túnel, el ojo de la aguja,
pero que sea al mismo tiempo templada
        [habitación, gozosa y ancha,   25
primaveral, extrema;
abrir un boquete en la noche para que entre
          [la luz y puedas ver;
luz a raudales para que puedas ver
tus manos, a las que nunca viste;
mirar tu rostro en el espejo, tus ojos, tu cansancio   30
en el espejo, para siempre, por una vez no más;
un agujero solo, un mínimo apetito
de luz, sólo por una vez, para mirar
por él mínimamente el aire transparente,
remoto.   35
Por una vez, el aire, el sol...

todos los puntos y recodos y largas avenidas de mi existir"— *M.L.*),
se hace el poema.
vv. 24 y 32: "el túnel"; "el ojo de la aguja". Ver Nota a "Cuestiones
humanas acerca del ojo de la aguja", *O. en la C.*
vv. 25-26: El poema.
vv. 28-29: "Puedas ver"-"nunca viste". El juego entre los modos y
tiempos verbales resalta la posibilidad cognoscitiva de la poesía, en
desmedro del oscuro saber que nos proporciona la vida.

V

DE LA VIDA ENUMERADA

*LA BARAHÚNDA

Apresurémonos, levántate, deja el vaso de whisky
    [sobre la mesa y ponte en actitud de bailar,
porque ha llegado la hora de la fiesta y el
          [difícil momento de la alegría;
apresúrate, vamos, se hace la danza en todo
    [el salón, la silla se convierte en un sonido
        [de flauta, la mesa
se pone tensa y sonora como un tambor, el viento
    [sopla en una esquina su monocorde fanfarria,
el oboe se despereza, el trombón se acrece como
    [si fuese un globo o una garrafa de ron dispuesta
         [a estallar;   5

deja el licor en el vaso, y prolonga en tu cuerpo
        [el ritmo de los acordeones,
descompasados, perezosos, rotos como una botella
        [o un vaso;

---

* La "barahúnda" es un símbolo de la vida y de su desordenado
acontecer, en forma de danza o des-concierto ("menesteroso concierto",
v. 28) que nos recuerda la otra danza, la de la muerte, que sí "sobrevive"
(v. 29), y, "remotamente, como al otro lado del mundo, / miserablemente, resuena" (v. 32-33). (Ver "El baile" de *O. en la C.*) Repárese en los
elementos grotescos y absurdos a lo largo de todo el poema, y la alusión
a un posible Más Allá, visto como en son de burla.

227

ven, baila, bailemos, el garrafón del coñac
        [se dispone a cantar,
el río suena, suenan y resuenan las vigas, el techo
        [se agrieta, brama el muro de pronto,
cae sobre mi rostro un poco de arenilla,   10
apresurémonos que la bóveda oscila y el salón
        [empieza a girar
rápidamente, qué es esto, y empieza a girar
        [la mesa, un músico se arranca una ceja, un ojo,
le falta un brazo a Carmen, a Amparo la uña,
un pie a Rodrigo, cojea, vacila Pedro,
se encoge Lorenzo, arde Juan, se arroja al río
        [entre llamas Alfonso, 15
Antonio grita, el techo se derrumba sobre
        [nosotros, el primer violín, lleno de cal,
        [se declara a la viola
que gime debajo de la mesa, derribada por una
        [columna,
danzan ante el espectáculo del desabovedado concierto
Pedro, Antonio, Rodrigo, Carmen, Amparo, Lola,
Lola la guapa, la incesante bailarina absoluta, 20
sigue danzando frenética, da una vuelta ahora,
        [gira súbitamente alegre,
risueña, pasa eufórica por encima del cadáver
        [de Antonio, del doliente Jenaro,
del aguerrido bombero que en la sala
toca desesperadamente el clarín y convoca
con denuedo a sus hombres 25
para que acudan sin demora a la pista
y ayuden a extraer bajo los escombros las víctimas
del menesteroso concierto,
del que tan sólo sobrevive, extinguiéndose,

vv. 11 a 17: Carlos Bousoño ha dicho, refiriéndose a estos versos: "(...)
    se hablará simbólicamente de la solidaridad entre los hombres frente
    al sufrimiento y la muerte, haciendo que cada acto de uno de ellos
    repercuta y acabe de cumplirse en el otro (...). No hay duda: se busca,
    desde todos los sitios posibles y por todos los medios, que el estilo sea
    también (...) una "primavera de la muerte", esto es, un "símbolo" de
    esa central noción". (*P.P.*, pág. 224).

el sonido insistente del solicitante clarín 30
que, sin éxito, aún a intervalos,
remotamente, como al otro lado del mundo,
miserablemente, resuena.

INVESTIGACIÓN DE MI ADENTRAMIENTO
EN LA EDAD
(Cuerpo viejo)

* *"Y caerá sobre ellos el castigo de ha-*
cerse viejos y ver sobrante y como
desocupada su piel, y todo será
como un crecimiento superfluo..."

Es el comienzo del no ser, la aurora
que se anticipa y crece por todos sitios, se afila
[para entrar en las venas, insinuante, tal vez
[a causa de su brillantez, o quizá

* Se respeta la inclusión, por indicación del autor, del epígrafe recién
aparecido en *A.P.* y después en *S.V.*

La "pulverización analítica" en una "fusión metafórica híbrida de
intelectualismo y no intelectualismo" nos conduce, en este poema, "a
una sorpresa de índole especialmente delirante". (Carlos Bousoño: *P.P.*,
pág. 201). El lema, de deliberados estilo y tono bíblicos, explica las
complejas identificaciones: cuerpo viejo —piel "sobrante" y "desocupada"— "crecimiento superfluo", o idea del no ser o del ser para la
muerte. Desde los versos 1 a 7, se desarrolla fundamentalmente la idea
del "crecimiento superfluo" de la piel del viejo (tras hablar del comienzo
del no ser, la irónica "aurora" del v. 1), recogida y refundida nuevamente en el final del poema. Símbolos propios de la cosmovisión de Carlos
Bousoño la formulan: alfiler, aguja, hilo, globo, calamar o pulpo, aire.
El cuerpo viejo que se llena de piel superflua es fusión metafórica que se
presenta, principalmente, desde los versos 8 a 19, con el agilísimo ritmo
del "frenesí de la multiplicación" (v. 9): cifras "convertidas en númenes,
o en velocísimos ciervos, o antílopes / llenos de terror en la estepa" —el
terror ante la muerte que experimenta el viejo— (vv. 10-11, con ejemplo
de desarrollo independiente del plano imaginario); ceros, émbolos,
guitarras, música, laberinto. Los versos 14 a 20 han sido señalados por
Carlos Bousoño como ejemplo de técnica analítica de "proliferación o
prolongación" de una realidad determinada. (*P.P.*, págs. 205-206).

se infiltra en ellas por sorpresa, al menor
    [descuido, en formas de alfiler o de aguja,
       [en forma de hilo, y ya allí
es cuando comienza, poco a poco, a inflarse
        [como un globo; otras veces
crece dentro desde el principio, y se hincha
    [al modo del calamar, o del pulpo cuando
      [en el estertor expulsa agua metódica
        [en chorros intermitentes;   5
el globo adopta con frecuencia formas mons-
    [truosas, algo grotescas por el lado izquierdo;
       [por el derecho
adquiere de pronto soledad, llena sobre todo de aire.
Y se da el caso que es justo en ese momento
    [cuando cada cosa rivaliza en actividad,
    [cuando comienza la carrera, el salto de vallas,
cuando se pone en ejercicio el frenesí de la mul-
    [tiplicación, el frenesí de la materia galopante;
entran las cifras por un lado de la maquinaria
    [y salen convertidas en númenes, o en
       [velocísimos ciervos, o antílopes   10
llenos de terror en la estepa;
o las cifras se llenan de ceros, como si fuese un
       [caso de alta prestidigitación;
los émbolos funcionan incesantes; penetran
    [las guitarras de súbito en la sala de máquinas
y el ámbito se puebla de música. Es el estruendo
      [de estío, el ruido de la procreación
multitudinaria, el alzamiento de una melodía   15
infinita, analizada infinitamente al revés por
    [un músico experimentado en desórdenes.
Y todo crece como un laberinto complicándose
      [en la interminable planicie

---

v. 16: Tanto en *A.P.* como en *S.V.* el verso termina en punto, variante
que aquí se respeta por indicación del autor.

v. 16: "músico experimentado en desórdenes": visión irónica de Dios.

v. 17: "interminable planicie". Símbolo del "extraviado dolor" (v. 20),
que, a diferencia del "frenesí" indigno con que crece el cuerpo viejo, y

desierta, que nunca termina
de hacerse, y prosigue, no obstante, monótonamente,
          [extendiéndose informe, a medio estar,
                              [a medio caminar
por el extraviado dolor.   20

---

aunque tampoco cesa, permanece, como esa planicie, invariable, sin
altibajos, contemplando y soportando el extravío miserable de la
carne, el error que es la vejez.

*SOLA

Llovía mucho sobre la ciudad, pero tan sólo ibas,
abriendo el paso de tu soledad,
con tu penar, cual muerto que anduviese
hacia la tumba.
              Caladas por un agua de nieve,
las gentes iban y venían. Tú,   5
en medio del chubasco o la cellisca,
ibas también, venías
por tu dolor aún más que por la calle.
El sufrimiento es muchas veces seco
como el esparto o un armario roto   10
de carcoma, de polvo o telarañas
en desván sofocante o en trastero
oscuro.

---

* En *S.V.* este poema está pospuesto a "Perro ladrador". Aquí se
respeta el orden de *M.L.,* por indicación del autor.

   El ámbito del recuerdo (la evocación de una mujer) provoca los juegos
tempo-espaciales, y el estilo paradojal de todo el poema.

vv. 1 a 13: A estos versos pueden aplicarse las siguientes palabras de
   Carlos Bousoño: "Lo sustancial es, pues, la nada, y ello conduce a
   una consideración secundaria: la esencialidad, a su vez, del dolor, en
   cuanto símbolo, representación, simulacro o avance, dentro de la vida
   humana en su momento 'primaveral', de ese otro instante futuro, que
   es la muerte, del que toma, como a préstamo, la característica de
   sustantividad (...)". (*P.P.,* pág. 156).

vv. 9 a 13: Ver Introducción. (Idem para v. 44).

Llovía en la ciudad inmensamente
y hacía frío además, pero tú ibas   15
bajo del agua torrencial, enjuta; indemne
en otro sitio
irrespirable, caluroso, seco,
bajo de techo, sin ventanas, pobre,
allá en otra estación   20
de otro tiempo tal vez,
donde tú padecías, sin mojarte
jamás
en lluvias como ésta de ahora, diluvios despreciables
de esta ciudad, por donde caminabas   25
apresuradamente en este instante, buscando
                        [algún portal o alero protector;
despreciables, he dicho; pero debí tal vez decir
                        [accidentales, ya que pertenecían
al mundo serio de la historia, y pues que verdadero,
sin realidad.
Tú, en cambio, padecías   30
más allá de las aceras mojadas, de los escaparates
                                        [y los cines
de lujo, de los coches
veloces, de los apresurados transeúntes, oficinistas
                                        [hábiles, porteros,
hombres de las finanzas, personajes
majestuosamente definidos   35
por el respeto general, o bien poetas, rigurosos
astrónomos o físicos, expertos
matemáticos, gentes al cabo todas
sin significación. Estabas en una avenida
de tilos, y llovía o nevaba, y decías a alguien:
                        ["hace frío", "es ya tarde";   40
pero residías definitivamente entre unos muros
desconchados, emparedadamente cierta, sola,
        [sudando de esforzarte en subir hasta alguna
                [imposible claraboya, una gatera mísera,
sin ver el campo ni la calle nunca;
y eras una resaca polvorienta de utensilios

inútiles, que el mar embravecido, sin agua,
                    [de la vida   45
traía hacia ti con sequedad, sin persuasión,
y se llevaba luego, en revesada
marea,
tan rápida, aunque inmóvil,
tan breve, aunque infinita;   50
los llevaba, repito,
sin interrumpir la quietud de esos enseres,
        [su manso estar, su arrumbado yacer,
y los arrebataba de tu lado sin trasladarlos ni moverlos,
sin que cayese una sola hoja de un árbol,
              [ni se cambiase de lugar un libro
en una habitación, tras una puerta que nadie
                   [trasponía;   55
y los arrastraba inmóvilmente, con delicadeza,
con levedad sagaz, a la mar honda, a la mar plena,
en donde quietos todavía, lejanos,
los mirabas aún, inalcanzables, con espumas
                [remotas ya, rielar;
y veías brillar, por algún sitio, lejos,   60
algo que pudo ser, acaso, para ti,
una madera
pulida, un noble sueño, el apagado tono
               [de un pálido marfil...

v. 45: "el mar embravecido, sin agua". La vida, que es el "mar
embravecido", no tiene "agua", aludiendo este término en principio a
su plano real, en correspondencia con "mar", y después, simbólicamente, a la idea de carencia de lo que calma la sed de felicidad.
v. 49: "tan rápida, aunque inmóvil". Puede aplicarse la nota de Carlos
Bousoño a "El río de las horas" (*M.L.*). Asimismo para los versos 52
a 57.
vv. 59 a 63: Lo que pudo ser y no fue, la posibilidad perdida, provoca
este final lleno de nostalgia.

JUAN DE LA CRUZ

Profunda es esta guerra y combate, porque la paz
                             [que espera
ha de ser muy profunda;
y el dolor muy delgado
porque el amor de su esperanza
delgado es, e íntimo.   5

El poema cita textualmente, en su comienzo, frases de San Juan de la Cruz, inmediatamente parafraseadas líricamente, con el propósito de demostrar, partiendo de ellas, la esterilidad de cualquier intento humano por llegar a Dios: el de Juan de la Cruz, así, desacralizado, u otro similar al suyo, el del asesino, por ejemplo, que, en paradojal comparación, pasa por las mismas instancias —la cárcel, la renuncia al mundo, etc.— que el místico. Las frases citadas son:

"Profunda es esta guerra y combate, porque la paz que espera ha de ser muy profunda; y el dolor espiritual es íntimo y muy delgado, porque el amor que ha de poseer ha de ser también muy íntimo y apurado (...) el alma ha de venir a poseer y gozar en el estado de perfección a que por medio de esta purgativa noche camina a innumerables bienes de dones y virtudes, así, según la sustancia del alma como también según las potencias della, conviene que primero generalmente se vea y sienta ajena y privada de todos ellos y vacía y pobre de ellos (...)". (De *Vida y Obras Completas de San Juan de la Cruz,* edición crítica de las obras del doctor místico, notas y apéndices por Lucinio del SS. Sacramento O.C.D., Biblioteca de Autores Cristianos, Madrid, MCMLXIV, Quinta edición. *Noche Oscura,* Libro Segundo —"Noche Pasiva del Espíritu"—, Cap. 9, fragmento 9, pág. 583).
"(...) la cual tiniebla conviene que le dure tanto cuanto sea menester para expeler y aniquilar el hábito que de mucho tiempo tiene y a su

Y como el alma ha de venir a posesión de dones
conviene que primero
pobre y vacía de ellos sea.
Pobre, como garganta con sed de muchas aguas,
vacía, como el mundo.   10

Y como la tiniebla se aposenta en el ojo vacío
del alma vaciada
y en la substancia misma de la duda
terrible del que duda,
tiniebla substancial parece y es.   15
Y como toda tiniebla y toda duda
hace a quien duda de tiniebla y duda,
éste se queda en la tiniebla,
en la tapiada oscuridad,
caído en la trampa, sin salida,   20
cogido para siempre, temeroso, asustado,
guiñapo agazapado en un rincón.
(Así en el fondo del calabozo el prisionero
espera el alzado patíbulo,
el irrisorio tormento,   25
o bien, en oscura mazmorra no espera
sino la definitiva soledad
quien ha asaltado el camino,

manera de entender en sí formado, y en su lugar quede la ilustración
y luz divina; y así, por cuanto aquella fuerza que tenía de entender
antes es natural, de aquí se sigue que las tinieblas que aquí padece
son profundas y horribles y muy penosas, porque, como se sienten
en la profunda sustancia del espíritu, parecen tinieblas sustanciales
(...)." (De *Vida y Obras completas de San Juan de la Cruz,* op. cit.,
Noche Oscura, Libro Segundo, Cap. 9, fragmento 3, pág. 581).
"(...) porque cuanto el alma más a Él se acerca, más escuras
tinieblas siente y más profunda oscuridad por su flaqueza; así como
el que más cerca del sol llegase, más tinieblas y pena le causaría su
grande resplandor, por la flaqueza e impureza de su ojo (...)". (De
Vida y Obras Completas de San Juan de la Cruz, op. cit., *Noche
Oscura,* Libro Segundo, Cap. 16, fragmento 11, pág. 597).

De *Subida del Monte Carmelo, Noche Oscura* y del *Cántico Espiritual*
—Canciones 13, 14 y 15—, es el vocabulario y el tono de San Juan de la
Cruz que remeda y reelabora Carlos Bousoño.

o violentado a la doncella, o acaso asesinado
a quien la defendió).   30

Como con pies atados y amordazada boca
y mano encarcelada y ojo ciego,
violador, asesino, ladrón de camino real,
así está Juan, sin nada o nadie
nunca,   35
purificado por amor
a nadie,
a nada,
nunca,
crucificado, muerto, tenebroso   40
y en la tiniebla.
        Así.

*PERRO LADRADOR

I

Al Norte, al Sur, al Este y al Oeste
ladras; pequeño ladrador de diminutas
invisibilidades, tercas delicias en el jardín amigo,
[alguna sombra

* "Perro ladrador" es "(...) uno de los tres poemas que se han escrito
sobre los perros "Sirio" de Vicente Aleixandre. Vicente Aleixandre tuvo
tres perros en su vida y a los tres los llamó con el mismo nombre:
"Sirio", "Sirio I", "Sirio II" y "Sirio III". A "Sirio I", el propio
Aleixandre le escribió un poema (...). "Sirio II" fue favorecido a su vez
por otro excelente poema, éste de Claudio Rodríguez. Yo canté,
finalmente, a "Sirio III", pese al temor que me inspiraba tener tan
insignes antecedentes. Mi pieza se denomina "Perro ladrador", pues
"Sirio III" lo era. De estirpe plebeya y callejeril, a diferencia de los dos
"Sirios" anteriores (...), el "Sirio" que me tocó en suerte lucía pelo negro
y no resultaba excesivamente bello, aunque yo le quería mucho porque
era muy cariñoso; le quería y al mismo tiempo me resultaba insoporta-
ble, pues cuando estábamos charlando en el jardín de Aleixandre (...), el
perro, en cuanto veía moverse la sombra de un pájaro o de una rama,
empezaba a ladrar, y no dejaba hablar a nadie. A veces pienso si no
serían las sombras, sino otra cosa, lo que le incitaba. Tal vez le
molestasen las conversaciones sobre poesía, pues se ponía especialmente
frenético en cuanto se iniciaban". (Carlos Bousoño: *Reflexiones sobre mi
poesía,* op. cit., págs. 28-29).
    El poema de Vicente Aleixandre se titula "A mi perro" y cierra
Retratos con nombre (En Vicente Aleixandre: *Obras completas,* op. cit.,
págs. 1059-1060).
    El poema de Claudio Rodríguez, en un principio titulado "En
recuerdo del perro de un poeta" (*Cuadernos de Agora,* Núms. 29-30,

de un pájaro que pasa, alguna brizna
leve de hierba. Registras con meticuloso ladrido   5
la pormenorizada realidad de las cosas,
                            [dulces trivialidades
que tú conoces y amas: el movimiento
imperceptible de una hoja
suave de acacia; un temblor solo,
su sombra nada más, y ya estás tú ladrándole
                            [a la vida,   10
aplicado hondamente a tu oficio
serio, ronco, tenaz, desapacible
en la mañana luminosa, descuartizando el día,
troceando la luz indivisible, disponiendo
en brusca taracea el roto cántaro   15
de la dispersa claridad, que salpica y asalta,
como si fuese espuma en mar bravío,
acantilados, torres, casas, muros,
y mis oídos siempre, dulce perro
sin paz, que no me dejas   20
vivir, y te adelantas
a anunciarme estruendoso a cada instante
la redención altísima: en el cedro
un gorrión se ha posado y se movió en la rama
sabia-   25
mente.

II

Pero otras veces, sin saber yo cómo,
te me quedas mirando con tus ojos
cariñosos, atentos
a un regresar de algo que no llega, y de pronto   30

---

marzo-abril, 1959, pág. 15; y *Homenaje a Vicente Aleixandre,* Ínsula,
Madrid, 1968, pág. 135), se llamó después "Perro de poeta" y pertenece
a su libro *El vuelo de la celebración.* (Citamos por Rodríguez, Claudio:
Desde mis poemas, edición del autor, Cátedra, Colección Letras Hispáni-
cas, Madrid, 1983, págs. 215-216). El poema lleva el siguiente epígrafe:
"A Sirio, que acompañó a Vicente Aleixandre".

me aúllas, aúllas a mi vida, al enorme vivir
                       [que de mí esperas,
río que fluye y no das lo que pides, lo que
                           [sin duda necesitas
ver venir desde lejos
para mí, junto a ti.

Ladras desesperada-   35
mente a las cuatro esquinas, a las cuatro estaciones,
a la luz, a la sombra, a la distancia,
ladras contra los árboles
del río, contra la peña gris y el remolino
que hacen allí las aguas,   40
las dulces aguas grises de tu amo,
el turbio y peligroso gris del hombre.
Y vuelves a ladrar contra la realidad entera
                        [de esas aguas,
acaso desbordadas, siempre inciertas,
pantanosas tal vez, oscuras, tenebrosas.

                 Ladras interminable 45
y te parece que el riesgo se disipa
si cubres incansable con tus ladridos protectores
el firmamento entero, el total mundo
sin que ningún resquicio abra al silencio
peligroso una entrada   50
sutil,
por donde pase,
          con delicadeza,
el puro hilo,
el soplo imperceptible de lo que no se nombra.

EL JOVEN NO ENVEJECE JAMÁS

* *"...No hay en ellos huella de tiempo.
¿Pertenecen acaso a un reino diferente, hecho de incorrupción?"*

El joven
no envejece jamás. Como una piedra
pulida, como una dura
conclusión,
como una matemática presencia,   5
esencia terminante que resiste
sin fin
a la tenaz marea
honda del mundo,
al revuelto temor, a la insaciable dicha,   10
a la realidad turbia
del deseo, al ingrato oleaje
sin reconciliación y sin memoria;
como una piedra, digo, o una estatua
abrasadora de diamante, el joven   15
límpidamente existe.

---

* Se respeta la inclusión del epígrafe recién aparecido en *A.P.* y en
S.V., por indicación del autor.
Ha dicho Carlos Bousoño refiriéndose a este poema y al siguiente, en
los que el tema de la juventud se conjuga con el de una engañosa
perennidad: "(...) El supuesto que me guiaba era éste. De un lado, el
joven no sólo se cree inmortal, sino que se piensa, de alguna manera,
para siempre inmutable; de otro, el joven no tiene huellas del tiempo en
su rostro; parece, pues, que se halla fuera y como exento de su dominio.
Mis dos poemas hacen realidad esa apariencia, casi como en un mito: el
joven se manifiesta así como un verdadero semidiós". (*P.P.,* págs. 164-
165).

A su través se ve el espacio nítido,
la complacencia de la luz se ofrece.
Un aire con palomas se dispersa
por la gracia de un valle. Un río corre,   20
refrescando las raíces del mundo.
El joven transparente no sonríe:
es, sin compasión, duramente.
Esencia dura que simula espacio
accidental en tiempo sucesivo.   25

Simula sucesión, mas vive siempre
un punto más allá del suceder, en el límite mismo
donde empieza la luz,
ya por de fuera, aunque casi en la frontera suave
del innumerable suceso, del poderoso acontecer
                                        [corrupto,   30
existiendo así al margen de la materia ingrata
                                        [que se mueve
sinuosamente, serpentinamente
como siniestra ondulación. El joven está inmóvil,
puro, incontaminado,
como el cristal repele un agua lúcida.   35

El aguacero lúcido golpea
contra el cristal inteligente.
Vaso de sí, copa de sí hasta el borde
de una música, el coronado,
el cierto, el no mentido   40
yace, salvaguardando una verdad,
albergando una nota, una luz tersa
por los alcores luminosos...

vv. 19-20-21: Paisaje mítico, con probables reminiscencias biográficas,
    las de la infancia paradisíaca.
v. 38: "copa de sí". Símbolo de plenitud imperecedera. Ver Nota a vv.
    11 a 15 de "La cuestión" *(M.L.)*.

FILA JUVENIL

Al otro lado de la pared, más allá del muro
    [de la dubitación, del rigor y el cuidado,
traspasada la linde del tiempo en que miserables
                    [yacemos
como en calabozo y guarida de perro
o de sos de circo, nosotros, los payasos de la
    [realidad, los torpes de la desolación,
    [los risibles del miedo, los aplaudidos de la
    [desgracia y del año y del minuto del día;
más allá acaso de la delgada lámina transparente,   5
la tenue brisa quieta que nos separa,
están los hace poco sobrevenidos para no morir,
    [ni moverse, ni desplazarse hacia un lado
con la caprichosidad del que juega.

La interminable fila de los inmóviles, juvenil a
  [todo lo largo de su configuración, más solemne,
a todo lo ancho del esplendor y el encrespamiento
             [de su humana hermosura, 10
ola súbita que va hinchándose y a punto de romper
  [no se rompe, y a punto de estallar se engrandece
          [y es el cielo y las olas;
a todo lo abarcable de su trueno feliz, inmenso
    [trueno, inconmensurable descarga de realidad,
      [golpe lúcido de instantánea belleza,
la larga fila de los inmóviles marcha
desde hace mucho, desde siempre, hacia arriba,

hacia el relámpago fijo que ellos son en la noche,

[en el día,   15

en la aurora,
en la felicidad desbordante que no puede cesar,
como un río no cesa.

MIENTRAS EN TU OFICINA RESPIRAS

Mientras en tu oficina respiras, bostezas,
  [te abandonas, o dictas en tu clase una lección
ante extraños alumnos que fijamente te contemplan,
      [con sueño aún en la temprana hora;
mientras hablas, mientras gesticulas en el café,
o inmóvil te concentras en la meditación
de tu escritorio, o echado en el hondo diván   5
repasas lentamente recuerdos de tu vida; mientras
  [quieto te abismas en la visión de la llanura
  [interminable, o mientras escribes
  [una lenta palabra y te recreas en
  [su dulce sonido, en su amorosa realidad,

caes, estás cayendo hacia atrás por una quebrada
                [del monte,
estás rodando entre piedras y cardos por
                [la abrupta pendiente
hacia un barranco en el que corre un río,
rápido como el viento un río corre,   10
estás herido en la boca, en las manos, el pecho,

La idea del ser para la muerte, la de que vivimos y morimos al mismo
tiempo, vuelve a ser el tema central de este poema, lo que explica el
vocabulario, recursos y estilo en general, desde el v. 7 hasta el final. Ver
Nota a vv. 38 a 46 de "Más allá de esta rosa" *(O. en la C.).*

vv. 1 a 6: Evidente uso de la técnica de "particularización y concreción
de lo abstracto". (Remitimos a Carlos Bousoño: *P.P.,* pág. 208).

sangras por un oído, te despeñas por el farallón
cabeza abajo,
con las piernas en abierto compás,
hacia el fondo, ya con los huesos rotos,   15
crispadas mano y boca, hacia el abismo, abajo,
súbitamente próximo,
escribes la palabra lentamente, te concentras,
     [murmuras, en el café discutes, muy despacio
        [sonríes, adelantas una noble razón,
aduces un adorno, un tejido, un recamado oro,
hablando en la tarima de tu clase diserta,   20

donde todos están cabeza abajo.

*EL EQUILIBRISTA

En varias religiones el acto de escupir a menudo
[posee un carácter sagrado que confiere al sujeto
[favorecido por tan alto don
honor y todo un surtido de recompensas:
bastones de enebro para provocar, según el caso
[y la estación, la enfermedad o la lluvia,
la envidia o el innoble placer de ser fiel
[a la mujer amada,
cintas genéticas que impiden el aborto, o,
[al revés, lo suscitan, en medio del general
[entusiasmo;   5
sustancias y hierbas que dan al iracundo una
[larga calma marina
o le orean con brisas bonancibles por donde
[cruza solitario un velero,
un largo sueño, un río;

no me dejéis decir lo que yo haría con todo esto,
con todo este poder acumulado en mis dedos
[magnéticos,   10
lo que yo haría con mi sombra, hecha trizas
[a veces a causa de mi coloreada ansiedad,
lo que yo haría con un puñado de muerte, como
[arena hasta el fondo

* Regresa el tono irónico y grotesco, recordándonos el de "La feria"
o "La barahúnda" *(M.L.)* anticipado por "El mundo está bien hecho"
y "La prueba" *(O. en la C.).*

248

de mí mismo,
con el bochorno de ser hombre y morir,
lo que yo haría con todas las guitarras azules   15
sonando al mismo tiempo en el atardecer ensordecedor
                                            [y profundo,
lo que yo haría con todas las campanas que voltean
        [al unísono sobre la ciudad sus infinitos gritos
                [de sombra, su enloquecedora elocuencia,
que vuelcan simultáneas en el arenal su agua turbia,
su agua pegajosa y tenaz, su agua terca;

es así como yo me las compongo para no morir,   20
miradme, vedme, soy el equilibrista famoso de una
                                            [tarde de circo,
contemplad sobre todo mi vestido de color carmesí,
                                    [mi curiosa sonrisa
en lo alto, mis dientes,
no puedo caer a la pista porque el hilo que me
                                        [sostiene es sutil,
es tan delgado y frágil que no puedo caer,   25
no puedo caer, retenedlo, porque el sombrero
            [de esa señora es azul o encarnado,
                    [porque el sueño es azul
como un río,
un río que va a dar en la mar, y no puedo caer en la mar
desde aquí.
Afortunadamente no hay olas, ni se encrespa
                                    [el abismo.   30
No hay olas, no hay espumas, ni siquiera arenilla,
                            [hay tan solo quietud,
una enorme quietud, todos callan de pronto
allá abajo,
un enorme silencio

vv. 29-30: *O. en la C.*: "(...) / desde aquí. No olvidéis que es un circo /
donde estoy, ya sabéis, y no hay mar. /" La supresión de parte del v.
29 y de todo el v. 30 aparece en *S.V.*, versión que aquí se respeta por
indicación del autor.

me rodea, allá abajo,
porque soy
el equilibrista famoso
de una tarde de circo.

VI

LA NUEVA MIRADA

POÉTICA

De un solo golpe hacer surgir las cosas
múltiples, simultáneas, como un río.
Decir "te odio", "no", "borrasca", "frío",
y entender, además, con eso, "rosas",

maravillosas rosas mariposas   5
del alma, fuego azul, extraño envío
de un pájaro que siendo atroz navío
fuese los aires y las olas rosas.

Que en tu palabra surja el mar o el viento
como huracán que, aquí, sopla en Bagdad.   10
Dentro de un siglo resonó el momento

éste, en este reloj de esta ciudad,
veloz como quietud o arrobamiento.
Sé la mentira y séla de verdad.

En *S.V.*, como el mismo autor indicó (pág. 188) se corrigieron
importantes erratas con las que el poema venía publicándose. La
variante en *S.V.* —que hoy trasladamos a la edición definitiva por
indicación del autor— es: v. 12, "esta ciudad" por "la ciudad" (*M.L.*).

MONÓLOGO HACIA EL DESTINO

Ama este adefesio, este montón de abyecciones,
este calambre de dolor que levanta y deforma
        [sin resignación tu sufrir hasta el cielo,
la ola de tu padecer, que como un gigantesco brebaje
crece para tu amarga sed, crece sobre el abismo
                [y la roca sin Dios y sin ti,
crece sobre el innumerable desierto, el vacío
                [interior, el silencio aborigen;   5
crece, y estás tallado y esencial sobre el mundo,
de pie,
crece, y quieto estás, como una estatua de
        [maestro esplendor, donde la luz hubiese
        [eliminado, con cruel decisión todo
                [halago superfluo,
crece, e inmóvil como lo que al fin fuera
                [realizado y definitivo,
te instalas bruscamente bajo el inmenso cielo
        [esculpido y abrupto, poderosamente parado
        [también y surcado por pájaros de color
                [detenido en la más brusca nota,   10
detenido en el momento supremo del cantar detenido,
calderón absoluto del mundo, cuando tú, tras
        [el viaje del alucinante dolor, traspasados
                [la linde y el portal sinüoso,

Ver Nota a vv. 1 a 13 de "Sola" *(M.L.)*, aplicable a todo este poema.

has llegado por fin hasta ti,
y te has instalado en ti mismo con recogimiento
                                        [y cuidado,
y allí, como en estricto hogar, sin sobrante,
                                        [en reposo,   15
con fatalidad,
permaneces.

*LA NUEVA MIRADA

Dame la mano, sufrimiento, dolor, mi viejo amigo.
Dame la mano una vez más y sé otra vez mi compañero,
como lo fuiste tantas veces en el oscuro atardecer.
Cruzaban las gaviotas sobre el cielo,
se ennegrecía el mar con la tormenta próxima.   5
Dame la mano una vez más, pues ahora sé
lo que entonces no supe. Sé recibirte sin rencor
ni reproche. Acepto tu visita oscura.

Es en mis ojos, sufrimiento, dolor,
donde laboras tu más fino quehacer,   10
donde ejercitas tu destreza, tu habilidad
de orfebre
sin par. Allí
depositas al fin tu redención, pones como sobre un altar,
con delicadeza extremada,   15
tu hechura exquisita, y alzas, en medio
                              [de la noche, el milagro
lentamente a los cielos, la joya finísima,
el espectáculo de oro,
trabajado sin prisa, acumulada realidad
                              [que acomodas después
a mi nueva mirada.   20
Y es así como ahora, tras tu trabajo en la honda cueva,

* En *T.N.* el poema se titulaba "Dame la mano, sufrimiento, dolor".

en la recóndita guarida donde yo padecí
                  [tu febril creación,
es así como ahora
puedo mirar,
tras el mundo habitual, un mundo ardiente.   25

Arden las llamas de color tras el gris habitual,
tras de la oscuridad se encarniza la luz, se
    [redondea el rosa, esplende el animado carmín,
y todavía más allá, tras la trascendida apariencia, se ve
de otro modo, trasparentándose hacia una eternidad,
un país nuevo.   30

Un país nuevo, inmóvil en la luz,
tras de la oscuridad de mi agitada noche.

v. 31: "un país nuevo", mejor, al que sólo arribamos si nos purificamos
  a través del dolor. (Ver "Análisis del sufrimiento", *O. en la C.*)

DESDE EL BORDE DE UN LIBRO

A Elisa y Juan Luis Prieto

Estoy aquí mirando el vuelo de las golondrinas,
           [el lento deslizarse de las nubes
pausadas,
el paso errante de la multitud que camina
buscando con desazón en el aire una cosa,
algo en los escaparates luminosos de la ciudad,
           [algo que pudiese sonar entre la luz,
                [o permanecer   5
en el viento. Algo como un jazmín
o una forma redondeada, como si fuese
una perentoria necesidad, o bien, de otro modo,
un grito de socorro en el bosque,
un jadear perdido en la inmensidad,   10
y en la soledad, o en la ruina.
Y estoy aquí, y todavía miro, y contemplo,
               [y vuelvo a mirar,
y toco con fatalidad los cartílagos, los huesos
inmóviles, básicos,
que parecen responder a una pregunta, las rodillas   15
más tenaces en su respuesta, el hondo clamor
de mi sien, donde siempre fulgura el mañana
y brilla siempre el sol del atardecer en que estoy.
Mirad las colinas a lo lejos, doradas,

A partir del verso 4, se hace evidente el planteo metafísico del poema, la
"búsqueda", la religión del que desea creer aunque es incrédulo, como
diría Francisco Brines, porque la realidad está en los "huesos" —v. 13
a 16—, lo que indefectiblemente seremos bajo tierra.

las serpentinas caprichosas de la cambiante luz,   20
el grito de mi corazón prolongado hacia arriba,
                          [en la tarde,
subido en la gloriosa cresta, más alto,
como águila que renaciese devorando la luz,
el inmenso corazón del espacio.
                              Ah, dejadme mirar,
dejadme contemplar la súbita realidad de la
                       [encendida memoria,   25
el inflamado recuerdo rojizo, como astilla
                 [que se retuerce torturada en la llama,
las lóbregas lenguas del fuego devorando acaso
                       [una habitación de un hotel,
donde aún en un lecho, infinitamente tendidos,
                 [dos cuerpos minuciosamente se aman,
                     [con tenacidad contagiosa,
con escrupulosa obstinación, en el tiempo,
                    [sólo por una vez, todavía.
Dejadme contemplar el dolor que llegó, como
                     [siempre al fin llega,   30
con puntualidad y exactitud descortés en la hora mortal,
y luego la vertiginosa caída en la inmóvil meditación,
en la velocísima tregua del pensamiento
que puede recorrer todo un día, jadeante, hacia atrás,
           [la inexorable planicie de la misma pregunta,
la desértica desazón arenosa   35
donde el sol no se pone jamás.
                          Oh, dejadme
mirar lo que he sido
en el camino polvoriento hacia hoy,
las rocas escarpadas hacia mí, en el desierto,
los levantados gritos que me anunciaban   40
como estando aquí ahora,

v. 25 en adelante. El poema recuerda, por su vuelta al tema de la
memoria o de la historia ya vivida, aunque sólo parcialmente ya que
no abarca la dimensión temporal futura, el texto "Desde todos los
puntos y recodos y largas avenidas de mi existir", *(M.L.)*. Todas las
referencias al símbolo del fuego aluden a la infidelidad del recuerdo.

los gemidos horribles de mi esperanza, las quejas
              [de mi plenitud, maduradas cual uvas
pisadas por muchos pies en la sombras.
                              Oh, dejadme mirar
cómo danzan alegres esos pies sobre la cosecha
de vid, estrujando sin piedad todo el fruto, dejadme   45
ver
cómo chorrea, bajo las insistentes plantas gozosas,
el jugo entero de mi razón, mi terriza ansiedad,
mi pataleada esperanza,
y toda mi madurez derretida.   50

Oh, vedme, la cosecha está aquí,
tenebrosa como vino. Aunque oscuro,
os lo ofrezco.

vv. 42 a 53: Véase el desarrollo independiente del plano imaginario
"uvas", fusionado nuevamente con el símbolo de la "cosecha" —v.
51— de la vida, su sustancia última, que, aunque dolorosa —como
queda bien claro a partir del v. 43—, está en el poema, y desde él se
nos la ofrece.

APÉNDICE

*ARS MORIENDI

Las cosas, y las criaturas todas buscan incesantemente
    [su destrucción, su peculiar modo de morir,
y es esa búsqueda una indagación necesaria,
    [una investigación que las hace, precisamente, ser.
Las cosas se investigan a sí mismas ciegamente
                            [hacia su final necesario,
buscan la forma exacta en que ha de aparecer
                                    [su anulación.
La forma, el arco de la muerte, la curvatura, la
    [plasticidad como de objeto con que se extinguen,   5
el volumen puro, no adherido, sin embargo,
                        [a una concreción.
Ah, esto es el asa que no es, la forma justa de la
                        [boca de jarro,

---

   * Este poema, con el título de "Muertes", fue incluido después de "El
guijarro", en la Sección IV, de *M.L.*, en *A.P.*, págs. 365-366. Como el
poema ha pasado a formar parte del nuevo libro de Carlos Bousoño,
Metáfora del desafuero, donde lleva el título que hoy repetimos, el autor
ha autorizado su inclusión en este apéndice.
   La enunciación de la idea del "ser para la muerte" que comienza con
notorio estilo ensayístico (vv. 1 a 4), nos aguarda aquí con una novedad
muy importante: el mundo de los objetos, que ha sido hasta ahora
símbolo de una perennidad más persistente que la del hombre, es, en este
poema, una imaginable forma de algún "peculiar modo de morir" (v. 1),
"la forma exacta en que ha de aparecer su anulación" (v. 4). Así,
espejalmente, desde el v. 5 en adelante, la muerte adquiere algunos de
sus contornos y, paradojalmente, los va borrando.

263

o acaso de un espléndido jarrón de Sèvres
                    [de exquisita factura, o bien chino, viejo
                                    [como el humano dolor.
Veo la estrechez, no sé si inverosímil, de su alta cintura,
la poderosa panza que de pronto perezosamente
            [se extiende, llenándose de rumores y susurros
                                    [como de alcoba   10
sumida en la oscuridad, en un remoto otoño sombrío.
Y es allí donde se congrega el azar de las significaciones,
y donde precisamente la forma de morir se consuma.
Y esta criatura que muere en forma de jarrón chino
es quizás un viejo violín,   15
o una anciana mujer que ha gastado su vida
                    [en el menudo ajetreo doméstico,
ir de acá para allá llena de hijos y de paciencia
                            [y trabajo, y sufrimiento,
continuo como la porcelana que es suave al tacto
                                    [cual aquella bondad
de la mujer que muere ahora
en miserable cuchitril.   20

AL ERROR

A Miguel Delibes

Tiene que haber un error en la cuenta,
un roto en el calcetín, una trampa en el juego;
a nuestras espaldas alguien se bebe todo el alcohol
    [de la dicha, y se emborracha hasta caerse;
alguien se hace a escondidas con el trigo de la
    [cosecha y la dulzura de las significaciones.

Buscad en el sótano o en el cuarto de los
        [muñecos la razón de la encrucijada,   5
pues ha de ocultarse un acontecer poderoso
    [tras el hecho de merendar ahora en el cenador,
    [bajo el emparrado, o a la sombra de los cerezos.
Forzosamente habrá un significado detrás de cada
           [vil instrumento,
una matemática del padecer en que cada latigazo
           [es un número.
He aquí la felicidad del encuadre de los
        [sistemas excluyentes,

En *S.V.*, págs. 174-175, después de "Investigación de mi adentramiento en la edad" y antes de "Perro ladrador", se ubica este poema, con la siguiente nota a pie de página: "Poema escrito después de publicado el libro *Las monedas contra la losa,* pero que pertenece a su ciclo. Inédito hasta hoy". Como el poema ha pasado a formar parte del nuevo libro de Carlos Bousoño *Metáfora del desafuero,* el autor ha autorizado su inclusión en este apéndice. En *S.V.* se tituló "El error" y no llevaba dedicatoria.

la coexistencia de las dos verdades, la cuadratura
                              [de la imposibilidad.   10
Ante nosotros se ofrece el encaje soberbio
                              [del horror y la música,
el engendro de la cifra entusiasta, la melodía del
                              [nacer y el morir.
Se vislumbra por algún sitio la hermosura
                    [del agua derramada en el suelo,
el encanto incesante de la gotera que nos hace reír.
Ved cómo todos danzamos alrededor del fuego,   15
ponemos los pies sobre los tizones con naturalidad,
nos aproximamos a la llama con alegría,
                    [nos familiarizamos con la pavesa.
Henos danzantes, gozosos, en torno de la
                              [ceremonia y del rito,
en el ritmo que nos congrega en el instante
                              [de la cremación.
Henos aquí sin miedo, como si alguien tal vez,
        [distraídamente tal vez, o jugando de nuevo,   20
nos fuese hacer mágicamente surgir,
palomas sorprendentes en el sombrero o el
                    [bolsillo del hábil prestidigitador,
por el otro lado incipiente del caduco horizonte.

ÍNDICE DE POEMAS

ODA EN LA CENIZA

LAS MONEDAS CONTRA LA LOSA

APÉNDICE

ÍNDICE DE LÁMINAS

ESTE LIBRO
SE TERMINÓ DE IMPRIMIR
EL 26 DE FEBRERO DE 1991